JN006053

センスの哲学

千葉雅也

文藝春秋

センスの哲学

目次

装丁　関口聖司

センスの哲学

はじめに　「センス」という言葉

「センスがいい」というのは、ちょっとドキッとする言い方だと思うんです。なにか自分の体質を言われてるみたいな、努力ではどうにもできないという感じがしないでしょうか。

でも、世間では、けっこう気軽にセンスという言葉が使われているようです。

センスがいい悪いというのは、いろんなことについて言われます。服のセンスとか、ご飯を食べに行くときのお店のセンスのような、日常生活での「選ぶセンス」もある。絵がわかるとか音楽がわかるといった「芸術のセンス」もあります。「会話のセンスがいい」とか、仕事をしていて、「あの人は考え方のセンスがいい」といった使い方もある。

センスというのは、いろんな対象やジャンルについて言われるわけです。だから、「センスがいい」、「センスが悪い」と言われると、ひとつのことだけでなく、自分が丸ごと評価されているみたいで、ドキッとするんだと思います。

さて、実は、この本は「センスが良くなる本」です。

と言うと、そんなバカな、「お前にセンスがわかるのか」と非難が飛んでくるんじゃないかと思うんですが……ひとまず、そう言ってみましょう。

「センスが良くなる」というのは、まあ、ハッタリだと思ってください。この本によって、皆さんが期待されている意味で「センスが良くなる」かどうかは、わかりません。ただ、ものを見るときの「ある感覚」が伝わってほしいと希望しています。

自己紹介をすると、僕は、哲学が専門なのですが、芸術・文化と結びつけながら哲学を研究してきました。文系の研究者ですが、芸術作品を作ってきた経験もあります。

もともと中学時代には美大に進もうと思っていて、絵を描いたり、立体の作品を作ったり、ピアノも弾いていましたが、高校のときに文章を書くことに興味が移っていき、現在の専門に至っています。二〇一九年からは小説も書き始めました。肩書きとしては、「哲学者・作家」です。最近では、十代の頃に戻るようにして、美術制作も再開しています。

そういう経緯で、一応、物作りのノウハウをある程度持っているつもりで、それと哲学を組み合わせたらどうなるか、ということで本を書きたいと思っていました。

この本は、一種の「芸術論」だと言えます。ただ、狭い意味での芸術（美術、音楽、文学など）だけではありません。芸術を、生活とつなげて説明します。

本書の狙いは、芸術と生活をつなげる感覚を伝えることです。

いわば、広い意味での「芸術感覚」がテーマで、それをどう呼ぶかと考えたとき、まず浮かんだのが「センス」でした。センスというのは、冒頭で言ったように、どこかトゲのある言葉だと思いますが、それも含めて考察してみたいわけです。

芸術といっても異なるジャンルがあり、普通は別々に語られることが多いでしょう。それでも、美術や音楽、文学などを行き来してきた経験から、「こういう共通の話ができるな」という実感を僕は持っています。それは経験的な勘ですが、それを哲学や芸術論などと照らし合わせて、ある説明の仕方ができてきました。

この本は、自分の経験から出てきた理論ですが、専門的な議論もふまえています。しかし、専門的に細かいことには、踏み込みすぎないようにしたいと思います。なにより、読みやすく、役に立つ本であってほしいからです（エビデンスというとちょっと強いですが、何を根拠に言っているのかというのは、途中で示していきます。参考文献も挙げたいと思います）。

この本では、いったんセンスが良くなる方向を目指します。

しかし、センスとは何なのか？

センスとは何か、センスの良し悪しとはどういうことかを、いろんな角度から考えて定義していきます。一気に定義するのではなく、段階的に行います。それはあくまでも、「この本では」という仮の定義であり、ひとつの参考になれば、というものだと思ってください。

そして、先取りして言うと、最終的には、センスの良し悪しの「向こう側」にまで向かっていくことになります。ある意味、センスなどもはやどうでもよくなるところまで、です。最終的にそれを「アンチセンス」と呼ぶことになります。本書が進むにつれて、アンチセンスをどう考えるかという問題が、だんだん浮上してくるでしょう。

僕の『勉強の哲学』（二〇一七年）と『現代思想入門』（二〇二二年）の言い方を使うなら、センスとは何かを「仮固定」した上で、その「脱構築」へ向かうことになります。

この本は、センスという言葉の、よくある使い方から出発します。

実は、センスというのは、芸術論や美学の用語と言えるかは微妙なところです。専門的に言うと、「センスについて研究する」というのは……うーん、ちょっと怪しい話に見えるかもしれません。大学で研究するなら、「センスとはこうである」と、真正面から定義することは難しいでしょう。でも、次のように問題を立てるのなら可能だと思います。

「センスという曖昧な言葉で言われているのは、どういうことなのか」

これは、「言葉の使われ方の分析」です。センスとは何か、と真正面から答えを求めているのではない。センスという言葉の「用例」を分析するわけです。

この本でも、「センスってこんなふうに使われますよね」という用例から始めたわけです。

そして、手堅い研究としては、「人々はこういう意味でセンスという言い方をしているようです」という、社会観察のような結論にとどめるのではないか。

センスとはこうだ、というストレートな定義は控えるわけです。

しかし、この本では、その禁を破るというか、蛮勇として、センスとはこうだというひとつの見方を提案することになります。

まあ、いま「禁を破る」なんて言いましたが、それも弱腰すぎる言い方で、概念って、やはり誰かが勇気を出して定義するしかないじゃないですか、とも言える。難しいですね。

理論を新たに立ち上げようとするなら、自分なりに片寄った話をせざるをえません。ゆえに、責任が生じます。哲学でも、芸術論でも社会学でも、誰かが勇気を出して何かを定義したことが発端となって、その後の議論が続いているわけです。

というわけで、センスという曖昧な言葉を、僕なりに、概念として作り直すような試みをしてみたいんですね。それには勇気が必要です。

すいません、ややこしい話になりましたが、「センスの哲学」などと言うと、専門的に見て、いかがなものかと疑問が出てくるかもしれないので、一応の説明をしました。

話を戻しましょう。

センスという言葉には、トゲがあると思います。

つまり、どこか排他的に聞こえるところがある。「あの人、がんばってるけど、センス悪いんだよね」――というような。つまりそれは、努力ではどうしようもない部分を指していて、努力していてもそれを否定するようなニュアンスがあったりするわけです。

良くない言葉ですが、いわゆる「地頭（じあたま）」に似ているところがあると思います。地頭とは、もとからの変えられないものとして言われる。僕はこういう言葉に警戒しています。なぜなら、努力による変化を認めず、多様性を尊重せず、人を振り分けようとする発想があるからです。

ですが、この本では、センスはどうにもならないものだとは考えません。

ひとまず、センスがいいと言われる「好ましい状態」があると仮定します。そして、センスなるものに、人を解放してくれるような意味を与えるように考察を進めていきたい。人をより自由にしてくれるようなセンスを、楽しみながら育てることが可能である。というのが本書の立場です。

直観的にわかる

さて、センスというカタカナ語は、どういう言葉なのでしょうか。

和製英語みたいにも見えますが、そうではありません。もとの英語、senseという単語を辞書で引くと、カタカナでセンスと言うときの意味が載っています。「ユーモアのセンス sense of humor」とか、「服のセンス　dress sense」といった例がそれに当たるでしょう。

こうした意味でのセンスとは、ある事柄について、「なんとなく、深く考えなくてもわかっている、わかってしまう」というような意味だと思います。

英語でのsenseについて、詳しくは、第一章で調べることにしましょう。ここでは、まず、次のように定義しておきます。

・最初の定義：センスとは、「直観的にわかる」ことである。

ここでの「直観的に」とは、「なんとなく、深く考えなくても」というのを言い換えたものです。キーワードは「直観」です。英語ではintuition（イントゥイション）と言いますが、これは、古くから問題にされてきた哲学の概念です。哲学の専門用語としては、直「観」と書きます。「直感」との違いは、まあ今回は気にしないでおきましょう。

辞書でsenseを引くと、基本的な語義として、「意味」、「感覚」、「判断力」などが並んでいます。それらに加えて、というか、それらを合成したような語義として、カタカナで「センス」と書いてある辞書もあります（この原稿はＭａｃで書いていますが、Ｍａｃの辞書アプリに入っている『ウィズダム英和辞典』には書いてあります）。

この話の続きは、第一章に送ることにします。

さて、センスとは「直観的にわかる」ことである、とします。

直観的に――というのは、いろんな含みがあります。ラフに言えば、ごちゃごちゃ考えないでわかる、ということです。もっと説明するなら、「順を追って推論していった結果わかるのではない」とか、「ディベート的に、ああでもないこうでもないと悩んで結論するのではない」などと言えそうです。

すなわち、「一挙に」、「全体的に」、「総合的に」わかることです。

スピード感も伴っています。「パッとわかる」わけです。なんとかわかろうと努めてわかるのではなく、「もうわかっている」というニュアンスもあります。などと言うと、そんなことできるか！　とイライラの声が聞こえてきそうですが、でも、広い意味で「直観的」判断というのは普段からやっていることです。

家から一番近い駅に行く。十分慣れていれば、直観的に歩きます。どう行くかをごちゃごちゃ考えたりしません。カツカレーを食べる。食べ方を「順を追って推論」したりしません。

「りんご」と聞けば、どういう果物かわかります。頭の中で辞書を引いたりしません。人の話も、複雑になればいろいろ考えるわけですが、言われたことの基本的な意味はパッとわかっている。買い物をするときの簡単な足し算も、どういうわけか人間にはそれがパッとできる計算能力がある。

ここで、注意深い方は、「おや、違う話をまぜこぜにしてないか？」と思うかもしれません。

駅に迷わず行けるのは「慣れ」でしょう。「習慣」ですね。では、言葉の意味がわかるのもそうなのか。「りんご→この果物」という結びつけの習慣化なのか。その面は確実にあると思いますが、言語能力はもっと複雑なものだという学説もあります。数学の能力はどうでしょう。基本的な計算や図形の把握は、先天的にできるように思われます。

先ほどの例では、あとからの学習＝習慣と、先天的なものが混ざっています。

じゃあ、ダメな説明じゃないかと思うかもしれませんが、僕が思うに、むしろそれがポイントなんです。直観という概念は古くから使われてきましたが、その意味には振れ幅がありますす。現在でも、直観をどう定義するかで、学問において最終的な一致はないと見受けられます。

その背後にどんなプロセスがあるかは脇に置いて、「深く考えずにわかること」を広く意味するもの、として直観を捉えることにします。

生活は、自然な動きの連続です。深く考えずともそれなりにやれている。誰だってそうです。さまざまな障害を持っている場合もありますが、それもなんとかカバーして生活している。

芸術や、難しい仕事に「パッとわかる」ことを求められると、そんなことできるか！という声が上がると思うのですが、日常の大まかな流れとしては、誰もが直観的に動いている。これを再確認した上で、そこから芸術などの話につなげていきたいのです。

「わかる」というのを、「判断、判断力」と言うことにしましょう。センスとは、「直観的な判断力」です。あるいは「理解」でもいいでしょうし、「分別」や「識別」とも言えますが、判断力という言い方を代表者にします（これは、カントの『判断力批判』という著作を念頭に置いています）。

ところで、服のセンスが良くても音楽選びのセンスはいまいちだ、などと言われることがあります。これまた、センスのトゲの話ですね。「あの人、服はカッコいいのに音楽のセンスはなあ」とか。「あるものについてセンスが良ければ、他のことでもセンスが良くていいはずなのに……」という期待があるのかもしれません。なにか「すべてに共通するような判断力」を持っている人、というふうに、総合的に褒めるときにセンスがいいと言われることがあります。すなわち、センス：直観的で総合的な判断力、というわけです。

この本は「センスが良くなる本」だと言ったわけですが、それはまさに、総合的にセンスを広げていくことを目標にしています。音楽、ファッション、インテリア、美術、文学……などなどにまたがって、「直観的にわかる」を広げていきたいと思うわけです。それが生活や仕事にもつながってくる。

センスと文化資本

センスの良し悪しは、しばしば、小さいときからの積み重ね、「文化資本」に左右されると思われています。それは育ちの良さに結びつけられ、身も蓋もなく言えば、もともとお金持ちで、いろんなものを鑑賞できる環境にあったとか、経済的格差の話にもなります。

しかし、文化資本はあとから育成することが可能だと僕は思います。この本では、文化資本を人生の途中から形成することを目標とする、と言い換えてもいいかもしれません。

いや、それはちょっと不正確なので、もう少し説明します。

文化資本があるとは、たくさんのものに触れ、いろいろなものを食べ、つまり量をこなしているということ。ビッグデータを蓄積しているわけです。量をこなしているから、自然と判断力が身についている。さらに言えばそれは、ＡＩのプログラムに、ネット上のものすごい量の文章や画像を「食わせる」ことで、それをもとにして「生成」ができるというのに似ています。

量をベースにして判断力が出てくるわけですが、僕の考えでは、ある程度、判断力の原理を先に考えてしまうこともできると思います。

昔から量を積み重ねている人に対して、途中から物量作戦で勝とうとしても無理です。ですが、量を積み重ねるなかで得られる判断力のポイントを学び、そこから再出発して、量を積み重ねていくことはできる。民主的な教育というのはそういうことではないでしょうか。

多くの人は、生まれ育つ過程で、何か特定の、少ないものに固着して視野が狭くなる――と言うと言葉が悪いですが、あまり他のものに興味を広げないで、ある範囲のなかで満足するようになります。それに対して、もっと興味を広げてみましょう、とよく言われる。この本にしてもその一種です。

ですが、あまり興味を広げたくないという気持ちにも、正当な理由があると思います。

人間とは「余っている」動物である

人間は、他の動物種よりも自由の余地が大きく、いろいろなものに関心を向け、欲望を流動的に変化させることができる存在です。

自由の余地が大きいために、人間は、(1) 関心の範囲を「ある狭さ」に限定しないと、不安定になってしまう。過剰に多くのことが気になってしまうからです。(2) その一方で、未知のものに触れてみたいという気持ちは誰にでもある。それもまた、人間の自由ゆえです。

いわば、人間とは「認知が余っている」動物で、余っているからいろいろ見てみたくなるけれど、自分を制限しないと落ち着かない、というジレンマを生きている。僕はそんなふうに人間を捉えています（なお、この説明は、フロイト以来の「精神分析」という理論にもとづくもので、それに含まれる生物学的な部分を強調しています）。

だから、新しい分野にチャレンジする気持ちがなかなか湧かないとしても自然だし、新しいことが急にやりたくなったとしても、それまた自然。そういう二重性がある。

文化資本を積み重ねてきた場合では、いろんなことに興味を持つことによる不安定に慣れて、平気になっている、という面もあるのでしょう。

あとから文化資本を形成するのは、そうすればビジネスで勝てる、みたいなことではありません。次のように考えてみたいのです。

・文化資本の形成とは、多様なものに触れるときの不安を緩和し、不安を面白さに変換する回路を作ることである。

そこで、柔軟体操を行って、精神を動かせる範囲を広げてみようというわけです。

あるジャンルの面白さは、別のジャンルの面白さにつながります。たとえば、ファッションの判断は、美術や文学の判断ともリンクする。ファッションが文学に、料理に、仕事の仕方につながるといった拡張を信じられない方も多いと思います。だんだんと体を柔らかくして、「ものごとを広く見る」モードに入ることが、センスを育成していくことです。

ここでも留保ですが、ひとつの専門分野に自分を限定し、その論理や倫理観に従って生きることが、真面目さであり、プロフェッショナルであり、という基準もあります。その基準からすれば、この本でお勧めするような「センスの拡張」は、そんな余計なことはしなくていい、と却下されるかもしれません。そうしたご意見も、尊重すべきだと僕は思います。頑固一徹にひとつの領域を守ることも人間のすばらしい力です。

センスの良し悪しから、その彼方へ

本書は最終的に、センスの良し悪しの向こう側、センスの彼方について考察します。センスがいいも悪いもない、というのは、人それぞれの感性の面白さを肯定することです。それだけだと、「みんな違ってみんないい」という話になりそうですが、もうちょっと複雑な話をすることになります。「みんな違ってみんないい」というのは、ウソっぽい明るさがあると僕は感じますが、もっと翳(かげ)りのある話をします。むしろ、人間の「どうしようもなさ」をどう考えるかという話になります。どうしようもなさ、そこには、なにか否定的なものが含まれます。人が持っている陰影です。そのことと、先ほど述べた、ひとつのことに自分を限定する、あるいは「せざるをえない」ということが関係してきます。

そこに至るまでの過程で、いったん、ある意味でのセンスの良さを考えるわけです。逆に、「センスが悪い」ことを定義することにもなります。それをふまえた上で、センスとアンチセンスの複合体として人間の陰影を考えることになる。

イントロはこのくらいにしましょう。センスとは何か、センスの良し悪しとはどういうことか。それは、歴史を通して、美術や文学などにおいて何が評価されてきたのかということと、ある程度関係しています。その経緯にも触れることになります。

センスの良し悪しから、その彼方へ――。

まずは、センスというカタカナ語の扱い方をあらためて検討しましょう。

第一章　センスとは何か

それでは、始めたいと思います。まずは英語での sense について辞書で調べます。ちょっと細かい話になりますが、下準備ということでご了承ください。それが済んだら、本論に入ることになります。

感覚と思考

辞書を引くと、sense の語義は大きく三つくらいです――「意味」、「感覚」、「判断力」。

(1) 書かれたもの、言われたことの「意味」。そこから広げて、「君がやってることは意味がわからない」みたいな用法があり、これは合理性や価値のあるなしを言っている。反対語は、「ナンセンス」です。それはまず、何のことやら意味不明だという、文字通りの「無意味」です。「りんご」なら意味がわかりますが、「ごんご」はナンセンスでしょうね。そして、「そんなことをやってもナンセンスだ」＝「不合理だ、価値がない、無駄だ」という使い方もあります（こちらの場合、「ごんご」とは違って、言っていることの意味はわかるけれど、そんなことをしてもバカバカしい、というわけです）。

(2) 感覚、いわゆる「五感」。視覚、聴覚、触覚、味覚、嗅覚です。外からのインプットを受容する＝感じる、ということ。それに加えて、自分のなかで、より内的に「〜という感じがした」のような使い方もされます。

(3) 判断力、分別など。何かが「わかること」。代表的には、「コモンセンス」という熟語があります。コモン（common）とは「みなに共通の、ごく普通の」という意味で、誰でも持っている「わかる力」がコモンセンスであり、「常識」と翻訳されます。英語において最大の辞書である『オックスフォード英語辞典』を調べると、この意味での sense は、日常生活や仕事をうまくやっていける、実際的な力を言っているとのこと。逆に、「頭でっかちで考えすぎること」ではない、とも言えそうです。

さて、カタカナ語のセンスは、この(3)、つまり判断力の一種です。

ちょっとここは丁寧に見たいので、辞書を比較してみましょう。Ｍａｃの辞書アプリの『ウィズダム英和辞典』では、次のようにカタカナ語のセンスが登場します。

・（生まれながらの）感じる［知る、わかる、判別する］力、心、感覚、センス

そして、次のような例が挙げられています。

ユーモアのセンスがある。have a sense of humor
彼女には事の良し悪しをはっきり区別できる力がある。She has a clear sense of what is right and wrong.
君の服装のセンスは大したことないね。I don't think much of your dress [clothes] sense.

「生まれながらの」というのが括弧に入れてつけてありますが、もとから備わっているというニュアンスがある。そして、少なくともこの辞書では、「感じる」がメインのように見える。「感じる」が地の文で、それに続いてそのバリエーションとして「知る、わかる、判別する」が並んでいる。これは僕の読みですが、この書き方だと、「感じる＝知る、感じる＝わかる、感じる＝判別する」のように、感覚性が伴っているように思えます。

では、最大の権威である『オックスフォード英語辞典』を見てみましょう。

・とりわけ直観的な性質で、ものごとを正確に知覚し、識別し、評価する能力。

・特定の事柄、活動領域などに関する直観的な知識または能力。特定の状況においていかに振る舞うべきかの直観的な知識。

例：clothes sense, dress sense（服のセンス）、colour sense（色のセンス）

・抽象的な質や概念、とりわけ高い価値を持つと見なされているものに関する知覚や鑑賞の能力。古い用法（現在では使用されなくなった）：芸術的判断に関する能力または趣味（taste）。

例：sense of humour（ユーモアのセンス）　※『ウィズダム英和辞典』では、アメリカ英語を採用していて綴りが humor、こちらはイギリスの辞書なので humour になっています。

なるほど。ここでのキーワードは「直観的」ですね。それと、二番目のところにある「特定の状況」のような言い方が、実際的であることを示しているように思われます。明確な根拠があってというより、その場で勘を働かせる。

それから、いまでは使われない用法として、「芸術的判断に関する能力または趣味」と書いてあるので、あれっ、芸術のセンスって言わないの？　と思うところですが、ここは専門的な見方が必要で、tasteという概念がキーです。テイストは「趣味」と訳しますが、日本語で「趣味」というと、普通は「ホビー」のことですよね。しかし、ここでのテイスト、趣味とは、美学の専門用語なんです。一八世紀によく言われた言葉で、「良い趣味をしている＝芸術の良さがわかる」という意味です。細かいことですが、「その古い文脈でのtasteとイコールで使われるものとしてのsense」は現在では廃れた、ということだと思われます。

しかし、美学の分野における「趣味論」（専門的意味での）は、いまでも議論が続いており、時代遅れではありません。

現在、検索すると、senseを芸術と結びつけて使う用法は多く見られます。それは、昔の「趣味」よりも広い意味になっています。

専門的な補足をすると、美学や芸術論において古くから問題にされてきたテイスト、趣味の問題を念頭に置きながら、より広い意味として、センスと言われるものについて考察するのが本書である、ということになると思います。

迷宮入りするのではほどほどにしましょう。

重要なのは、直観的であること、です。そこにおいて、センスという概念は、「感覚」と「思考」を結びつけているように見えます。

というのは、どういうことか。これは直観という概念の歴史に関わるんですが……迷宮入りは避けようと言ったところで、また歴史の闇がチラついています。直観という概念の歴史をたどるのは難しいことなんです。僕は、古い時代の哲学の専門家ではないので、大ざっぱなことしか言えません。そして、あくまでも西洋世界での話です。

古代では、「直観的に、一挙にものごとの本質がわかる」ことが重視される面がありました。しかし、「順を追って推論する」ことが大事だというのもあり、両者の関係は複雑なようです。ヘタに推論するからかえって誤るのだ、やはり重要なのは直観だ、という議論もあったようです。しかしその後、本当の直観は人間には無理で、それができるのは神だけだ、と人間の能力が切り下げられた。人間は、ああだこうだと「思考」する。それに対して、瞬発力的なものは「感覚」の側に寄せられていく。そして、近代になると（一七、一八世紀）、パッと感じることは間違っている可能性があるから、ちゃんと立ち止まって考えなさい、調べて考えなさい、というのがメジャーになっていき、そういう知性の捉え方が現在につながっています。

しかし、「パッと」という瞬時の判断は、丁寧に考えようとする最中でも起きているはずだし、あるいは逆に、現代の脳科学では、ものが見える、味がわかるといった感覚とは、情報が脳で処理されることであり、意識できない推論＝計算が行われている、と捉えるのが一般的です。

総合的に言って、「感覚的思考」ないし「思考的感覚」のようなものが働いており、それが「直観的」と言われたりする、それがうまく働くことがセンスとも言われる、くらいに考えておきましょう。

英語のsenseより前には、ラテン語のsensusがありますが、その古代語も英語と同じように多義的で、「感覚」であり、「意味」でもあり、「判断力」や「理性」も指すものでした。

「選ぶセンス」から出発する

ここまでが下準備です。まとめておきます。

・センスとは、「直観的にわかる」ことで、いろんなことにまたがる総合的な判断力である。直観的で総合的な判断力。そして、感覚と思考をつないだようなものである。

では、この定義をふまえて、本論に入りましょう。

この本では、センスと言うときに、「選ぶセンス」から始めたいと思います。もの選び、ものの組み合わせですね。

「絵を描くセンス」と言うと、白紙の上に線を走らせて、ゼロから作り出すセンスが問われていると思うかもしれません。けれども、何もない状態から作ることは、美術でも音楽でも、ありません。知っている作品とか、見たこと聞いたことがあるもの、何か印象などの素材があって、それを記憶からなんとなく選び、組み合わせて変形し、そこから飛躍させて作品にするわけです。創造行為の根底には、「選ぶ」ということがあります。

そしてこの本では、いわゆる芸術と、日常生活をつないで考えます。生活を芸術的に捉えてみる。また逆に、芸術をすごいものとして祭り上げるのではなく（もちろん「すごい」芸術作品はあるわけですが）、いわば「芸術を生活的に捉える」ことにもなります。

日常生活に必要なものもイチから作ることはあまりないわけで、普通は買い物をするわけです。買い物とはもの選びで、椅子を選ぶとか、もっと小さいものなら台所でパスタをストックするガラス瓶をどう選ぶか、といった日常的な選択と、絵を描くときに形をどう組み合わせるかという話はつながっています。まず、こうしたつながりを考えてみてください。

そしてこの本では、作ることと見ること、つまり制作と鑑賞を区別しません。というか、鑑賞の方からアプローチして、制作にもチャレンジできるようにガイドしていきます。そして徐々に、制作者視点から鑑賞ができるようにしていきます。

鑑賞サイドにいると、多くの人は意味ばかりに気が行ってしまう。しかし、ものを作るときには、意味が生じるより前の、ただ材料を集めて組み立てるという「意味が生まれる前の段階」に目を向けることになる。そこが重要なところです。

センスが無自覚な状態

「センスが悪い」というのは、あまり使いたくない表現です。そこで出発点としては、「センスが無自覚な状態」という言い方をしてみます。

最初は「センスが無自覚な状態」で、そこからセンスに目覚める、自覚的になる。

つまり、もの選び、ものの組み合わせに自覚的でない状態が最初にある。そこから、より意識的な状態になっていくわけです。

だけれど、実は、センスに関して「意識が高く」なることが本書のゴールなのではありません。禅問答みたいな話ですが、意識的すぎるもの選びや作品は、かえって何かが足りない感じがする。むしろ、「無意識」が必要である。無意識こそがセンスを豊かにする。このことが、話が進むにつれて問われる予定です。

まずは、センスに対してどういう意識を持つかを説明していきます。

上手い／下手から、ヘタウマへ

「上手い絵」とは何か。対象をそっくりに描くことが、基本的な意味での「上手い」だと思います。多くの人がそういうふうに「上手い」を捉えている。写真に撮ったように描く、あるいはアニメキャラを、コピーしたようにそのまま描ける。

ところがその一方で、多くの人は、写真のようなものだけが「上手い」だとは思っていません。大変人気があるモネやゴッホの絵は、風景や物をリアルに描こうとはしているけ

れど、写真のようではなく、個性的な味があります。モネの絵は散らばったタッチででき
ており、物の形がはっきりしない場合も多い。ゴッホが描く形態には、すぐゴッホだとわ
かる個性的な歪みがありますが、そこにはエネルギーが満ち満ちているように見えます。
いずれにせよ写真的正確さからはズレていて、そのズレが味であり、そのズレがユーモ
ラスだと、いわゆる「ヘタウマ」になります。その代表はピカソでしょう（ピカソには写
実的な絵を描いていた時期もありますが）。さらに「ヘタウマ」を強めていくと、素人がう
ろ覚えで描いた間違ったアニメキャラがＳＮＳで話題になったりすることもあります。
重要なのは、この「ヘタウマ」なんですね。
しかし、写真的な再現性が「上手い」という価値観は、世間ではとても強いわけです。
何かモデルをよく写している、というわけです。本物そっくりで、つい触ろうと手を伸ば
してしまう「だまし絵」のようなものですね。
さてその場合、「下手」とはどういうことか。下手とは、モデルを再現しようとして不
十分にしかできないことだ、ということになります。その場合、再現が主であり、そこか
らのズレに個性が出るといえば出るのだが、そのズレは再現に対して否定的なミスとして
しか存在していない状態になります。つまり本当ならそっくりに描きたいのだが、そっく

りに描けないという形でしか個性が存在していない。これが「下手」だということになります。この「下手」と「ヘタウマ」は異なります。

僕なりに定義してみます。「ヘタウマ」とは、再現がメインではなく、自分自身の線の運動が先にある場合です。しかし再現性がないわけではない。線の運動がメインであり、そこに再現性も含まれる形になっている場合です。つまり、モデルを目指してできないのではなく、自由な運動のなかで何かを捉えるときに、その個性はヘタウマだと言われるのだと思います。

そうだとすると、これは極論ですが、すべて芸術と呼ばれるものはヘタウマの方に入る、と言っても過言ではないでしょう。モネでもゴッホでも、言ってみればすべてヘタウマなわけです。

センスが無自覚な部屋

ここで、部屋のインテリア、家具選びについて考えてみます。芸術から生活に移ります。「センスが無自覚な部屋」というものがあるとすれば、それは、下手な絵に対応するものです。先ほどの考え方を応用しましょう。

「センスが無自覚な部屋」とは、理想的なモデルを設定していて、「そういう部屋になったらいいなあ」という再現がメインであり、だがそれが上手くできなくて、無自覚なズレが起き、つまり下手になってしまっている。さらに言えば、そのズレが、その人の存在感をゴロッと無自覚に表している。

たとえば、ヨーロッパ風の高級感のある部屋を目指していて、古そうな感じの装飾があり、アンティーク風なんだけれど本物のアンティークではないテーブルとか、シャンデリアっぽい照明とか、中途半端なアイテムを集めてそれっぽくしようとすると、かえって本物ではないことが目立ってしまう。そのときに、妙に感じられるのは、高級感を目指しているというより、そこに染み出してしまっている生活感ではないかと思います。

センスとはヘタウマである

さて、定式化してみます。「下手な絵」に対応する部屋には、二つの要素がある。

・不十分な再現性　＋　無自覚に出てしまう身体性

この状態に感じられるものが、いわゆる「生活感」なのではないか。

しかし、それで悪いというわけではありません。ある意味での「センスがいい」状態はそれとは区別される、というだけです。そして、予告しておくと、この本では最終的に、無自覚に出てしまう身体性というものをあらためて重視することになります（最後の第八章）。

まず提案したいのは、「不十分な再現性」＝「モデルの再現を目指してできない」という、何かに近づこうとする運動から降りることです。

そこで、この第一章では次のようにセンスの定義をします。

・センスとは、上手よりもヘタウマである。

・芸術でもヘタウマ、生活でもヘタウマ。まずそのイメージから始める。

ヘタウマとは、子供のような線の運動に戻ることです。

子供は最初、自由奔放に手を動かして、大人の目から見れば抽象絵画のような、躍動する線を描いたりします。その後、はっきりした形を描くようになり、意味ができてきます。上に三角形を、その下に四角形を描けば「おうち」だとか、丸の中に三つの点を描けば「顔」だとか。これは言語の発達と関係していて、何かの名前に対応する絵を描くようになる。絵が「記号」になっていき、以前の爆発するような線のエネルギーは抑圧されていく。

芸術家にはよく、子供のような自由があると言われますが、それは、記号化する以前の自由を持っている、そこに戻ることができる、ということでしょう。

インテリアの話ですが、ニセ高級感みたいなものも、記号にとらわれているわけです。つまり意味にとらわれている。アンティーク風だけれど本物のアンティークではないテーブルとは、「アンティーク風」という意味がメインであって、そのテーブル自体が十分に肯定されていない。本当だったらアンティークが欲しいのに、その代わりとして存在している。だからそのテーブルは、「半分だけの存在」みたいなもの。だったら、同じ安価なものでも、それ自体として肯定できるものを買ったほうがいいのでは、と思います。

土俵自体を変えてしまう

以上、「センスが無自覚」という言い方で説明しましたが、それがつまり「センスが悪い」に対応するわけで、ただ、それは変えられるものだということです。

センスの悪さは、不十分な再現性、つまり再現性にとらわれすぎているという見方は、いろんなジャンルで言えると思うんですね。ピアノを弾くことに関しても、上手く弾こうとすることにおいては、素人はピアニストには絶対にかなわないので、上手く弾こうとする土俵に乗っている以上、素人はいつまでもただの素人なわけです。その人たちがピアノでデビューすることはおそらくできない。

でもそれをやめてしまって、むしろ自分基準にシフトすると、それはそれであり、という話になる。土俵が変わるわけです。そうなったときに自分のセンスで音楽を作ることができるようになるんです。たとえば、坂口恭平がやっていることもそうだと言える。

あるいはバンドの話を考えてみてもいいでしょう。コピーバンドを組むことも練習のためには必要ではあるけれど、プロになるには限界がある。コピーバンドをずっと続けたり、Ｊ－ｐｏｐのようなある種の典型的な音楽を目指して完成度を上げていくことで、メジャーデビューできる人たちもごくひとつまみはいるかもしれないけれど、多くの人はそれで突き抜けることはまずできないわけです。そうなったときにはもう、勝負の土俵自体を変えてしまったほうがいい。

そうではなく、自分にできる範囲でのオリジナリティをまったく別のスタート地点から始めることで、同じ基準で競争している人たちの競争に混じらずに、何らかの別経路でデビューすることがおそらく可能なんです。

多くの人はやはりそれでも、メジャーな音楽をやってメジャーデビューしたいと切実に思うんですよね。ただ、僕の考えでは、そういう方向で作品を作ることも、いったんそれをやめることで初めて可能になるんだと思います。つまり、いったん「ヘタウマ」に向かうことで、むしろ写実に向かうこともできるだろうということです。

この最初の章で、まず言いたかったのは次のことです。

・モデルの再現から降りることが、センスの目覚めである。

言い換えると、再現志向ではない、子供の自由に戻る。それがヘタウマです。とはいえ、モデルを目指そうとしてしまうのは自然なことです。人間は、周りにいる人や、見たり聞いたりしたものを参照して自己形成していくからです。ただ、何かと同じになりたいという「再現しすぎ」の傾向から降りる。モデルは、あるにはあるんです。しかし、そのコピーを目指すのではなく、それを向こうに置いておいて、一応はそっちを見ながら、その手前で違うことをやってしまっていい。これは、モデルに対する「姿勢」の変化です。

センスが悪いと言うと、能力の問題のように聞こえます。それに対し、センスが無自覚である、という言い方をしたのは、姿勢を変えることでセンスに自覚的になれると言いたかったからです。モデルはあるにせよ、再現志向ではなく、その手前、つまり子供的な手前において、ヘタウマでいいから自分なりに試してみる。

モデルの再現から降りること、ＡＩの「学習」

センスの良し悪しはしばしば文化資本に左右されると思われている、と「はじめに」で述べました。文化資本が多いとは、いろんなものを鑑賞したり読んだりしてビッグデータを蓄積しているということですが、それは、モデルが非常に多いために、特定のモデルに執着しなくなる、ということでもあります。非常に多くのデータがあり、なおかつ十分にこなれていると、再現志向から降りやすくなる。

人生の途中から教養を身につけようとして、いろいろ見たり読んだりすると、いろんなものの再現をやりたくなる段階に入ります。たいがい誰でもその段階を経験しますが、そこで停滞するというか、そこに、ある意味で安住してしまうことが多いように見受けられます。そこをどう通過するかが大事です。

「こなれる」というのは、取り込んだデータがそのものとしてモデルになる段階を通過することです。そのときにどういう脳内の処理が行われるのかはわかりませんが（おそらく脳科学でも今後研究されるテーマだと思います）、キーとなるのは、適度な忘却、省略、ある特徴の強調、などだと思います。そして、データ量が多い＝文化資本が多いと、特定のモデルに片寄らないわけです。

というこの説明で、お気づきの方もいるかもしれませんが、これはＡＩによる生成の話に似ています。ＡＩは、テキストでも画像でも大量のデータがまずあるわけですが、それを「学習」した結果から、新たなものを生成する。その生成物は、もとのデータのコピー（の切り貼り）ではありません。学習とは抽象化であり、大量のデータ（つまり、ＡＩの文化資本！）が、いったん抽象化された上で（技術的に言うと、データの特徴を多次元で数値化することで）、そこから生成する。

モデルに対して再現志向ではなく、というのは、ＡＩのように「学習」を経た上で、新たなものを生成することです。そのときの学習とは、モデルをより正確に理解しようとする「がんばる方向」ではなく、むしろ、忘却や省略や誇張などがポイントなのです。引き算的な学習とでも言えるかもしれない。では、人間においてそれはどう起きるのか。時間をかける、放っておく、しかありません。インプットして、日々をすごしていくなかで、だんだんと脳内でその処理がなされる。それを加速できるかどうかは微妙なところです。しかし、教養を身につけるとは、インプットそのものの再現的応用をすることではない、とわかっておくことには意義があると思います。

この本は「センスが良くなる本」です、と言いました。再現志向から降りるという最小限の姿勢の変化だけで、第一段階、あるいは第ゼロ段階として、センスが良くなったと言える、というのが本書の考えです。その姿勢をとることで、いろんなものをインプットするときの効き方が変わってくると思います。

再現から降りる。モデルはあるにしてもそれを抽象化して扱う。抽象化とは、意味を抜き取ることでもある（ＡＩの場合は、ただの「量」に還元する）。

さて、次の章からは、意味の手前について考えていきます。

意味の手前、それはひとことで言えば、「リズム」だと思います。その絵が何を表しているか、その小説がどういうメッセージを発しているかではなく、そこで展開されている形や運動が、それ自体としてどのように面白いかを感じとる。形、音、味などが、ただ即物的にどうなっているか。そのことをリズムと呼びたいと思います。リズムという観点であらゆるものを捉えるとき、そこでは鑑賞者と制作者の区別がなくなります。次の章では、そのような意味でのあらゆるジャンルを横断するリズムを考えてみましょう。

第二章　リズムとして捉える

意味から強度へ

「モデルに合わせようとして合わせきれない」というのが悪い意味でのズレで、それがセンスが悪いと見なされる。だったら、そもそもモデルを目指すことから降りてしまい、自分の積極性を肯定する「ヘタウマ」でいいじゃないか。このことを第一章で説明したのでした。

何らかのモデルを目指すというのは、それが持つ意味を求め、その意味を自分に取り込もうとしているわけです。第一章の例ならば、部屋をヨーロッパ風にしたいというとき、貴族っぽさとか伝統とか優雅さみたいな意味を求めている。同様に、ファッションとか絵にしても、意味を目指してしまうわけです。

しかしこの本では、意味より手前で、ものごとがそれ自体としてどう面白いのか、という観点を重視します。ここで言う「それ自体」というのが、リズムなのです。

・ものごとをリズムとして捉えること、それがセンスである。

では、リズムとは何なのか。

ちょっと寄り道をしましょう。一九九〇年代に、社会学者の宮台真司が「意味から強度へ」というフレーズで有名になりました。

宮台さんが注目したのは、当時「コギャル」と呼ばれていた女子中高生たちの生活です。特別何かを目指すわけではなく、つまり何か「意味があること」をしようとせずに、みんなでファミレスで適当にだべったり、そのときのなんとなくの空気が楽しければいいという生き方。その感じを「まったり」と言ったんですが、ただまったりしていることの豊かさを彼女たちは教えてくれる。それを宮台さんは「まったり革命」と呼んで、とくに何を目指しているのでもない感じのことを「強度」という概念で言い表しました。

「強度」は、今日の言葉で言えば「エモい」につながってくると思います。なんか曖昧にいい感じ。それは「意味」ではない。「意味」ではなくて、じんわりいい感じだったり、ワクワクする感じを「強度」と呼んだんです。ちなみに宮台さんはこの「強度」という言葉を、ジル・ドゥルーズという哲学者から持ってきています。ドゥルーズは僕の専門なんですが、大まかに言えばドゥルーズは、意味ではなくて「存在感」というか、ただそれ自体の価値みたいなことを言うときに「強度」という概念を使いました。

この「強度」を、「リズム」と言い換えてみたい。

「強度」と言われると、「強い」のが大事なのかと思われるかもしれません。そうではなく、「強度」とは、強い／弱いのことです。強いところがあって弱いところがあって、強弱が交代する。それは、「リズム」のことだと言えるでしょう。

強いところ、弱いところが「並ぶ」こと、その「並び」がリズムです。

たとえば、ファミレスでまったりしているとします。ワーッと何か笑い話で場が盛り上がって、そのあとテンションが穏やかになって、みんなでお茶を飲みながら、「なんかこのお茶、味変じゃない？」とか、ちょっとした笑いが起きる。そして、また一人が強い話を持ち出してテンションが上下する。まったりした時間のなかに波があって、テンションの上下を楽しんでいる。いわば、テンションのサーフィンをしているわけです。

まずこんなふうに、「リズム」というものを、「テンションのサーフィン」として理解してみてほしいんですね。

ここから、いろんなジャンルで考えてみますが、リズムといえば、やっぱり音楽です。

音楽でのリズムとは、音が鳴る、止まるの交代です。オンとオフの交代、あるいは、強い弱いの交代。たとえば、「ドン・ドン・ドン」と同じく低い音が続いて、その後に「パッ」と高い音が入る。そうすると「ドン・ドン・ドン・パッ」、「ドン・ドン・ドン・パッ」というふうに、3＋1でワンセットのパターンになる。音楽の基本とはそういうもので、時間の流れのなかで、リズムのまとまりが繰り返されたり、そこからの逸脱が起きたりする。

形も味もリズムである――スタンドライトと餃子

音楽は時間的な芸術ですが、今度は、空間的なものを考えてみることにしましょう。物の形を考えてみます。机の上のスタンドライトを考えてみましょうか。

下にボンッと丸い台があって、上に視線を動かすと、キュッとすぼまって細い柱になり、それがヒューッと上に伸びていきます。すると傘の部分があって、またポンッと開く。こうやって、物を見るときにも時間的に展開するわけですが、物体には、広がっているところ、すぼまっているところがある。出っ張っているところ、へこんでいるところがある。デコボコの組み合わせで出来ていると言えます。

音楽におけるリズムもデコボコの一種であり、それは物のデコボコと、抽象的に言えば同じなのだと考えてみてください。

リズムという語は、古代ギリシア語の「リュトモス」から来ているのですが、リュトモスにはもともと「形」、「釣り合い」、「状態」といった意味がありました。

物の形とは、デコボコ＝リズムである。

スタンドライトでもマグカップでも、丸くワッと広がった部分、キュッと狭まった部分、穴、取っ手の曲線などなど、さまざまな凸（デコ）と凹（ボコ）のリズミカルな組み合わせでできています。これはひとことで「音楽である」と言っていい。

音楽を聴いて、この曲は自分のノリに合うな、というリズムにノる感じと、マグカップをお店で選んで、ああこれはなんかしっくりくるなと思うときの「マグカップにノる感じ」は同じだということです。

もうひとつ例を挙げましょう。味のリズムです。

食べているときにも、口の中でさまざまなパラメータが展開します。僕は宇都宮出身なので、餃子にしましょう。

まず、餃子を口に入れたときに熱の感じがある。熱い。表面のパリッとした感じ。嚙むと、皮が割れて中の柔らかい部分へと進むわけですね。まず最初に強い熱と、カリカリ感という刺激があって、そのあと柔らかさに向かって緩和し、次に肉の味、ニンニクの味といくつかの味が同時に入ってくる。タレのことも忘れてはいけませんね。醤油の味がメインなんだけれども、酢の酸味と鼻にツンとする感じがあり、ラー油の辛みもある……。というように、大きく言えば、強い刺激と穏やかな刺激とに二分できますが、それがさまざまに交代し合って、強い「バンッ」と弾ける刺激と、より穏やかな「ツー」とでも言える持続的な刺激がリズムになる。「バンッ、ツー、バンッ、ツー……」みたいな感じですね。餃子のリズムは複雑で、多層的に絡み合って展開していきます。音楽ですね。餃子は音楽なんですよ。

複数の流れを「多重録音」のように捉える

大きく言って、同じような刺激が繰り返される規則性、そしてそれが中断されたり、あるいは違うタイプの刺激が入ってくるという逸脱。この「規則と逸脱」の組み合わせでリズムはできています。同じことですが、言い換えると「反復と差異」がリズムです。僕が専門としてきた哲学者、ドゥルーズには、『差異と反復』という著作があり、それを意識して（言葉の順番は逆になりますが）、今後はおもに「反復と差異」という言い方をしたいと思います。

そして、リズムはたいがい複雑で多層的です。

音楽の場合を考えても、普段私たちが聴いている音楽は複雑なリズムの絡み合いで、単純な音楽を聴くことなんてめったにないわけですが、たとえば、太鼓をひとつ叩いているだけ、という場合があるとする。そうならば、「ドン・ドン・ドン・休み」、「ドン・ドン・ドン・休み」というような一種類の流れしかないわけです。

ここでは、「リズムの流れ」という捉え方をしています。

餃子を食べるときにも、リズムの流れが複数あると言えます。熱のリズム、硬さ・柔らかさのリズム、塩味のリズム、酸味のリズムといった、複数の種類の流れがあって、重なり合い、絡み合っている。そういう状況を、音楽を作るときの多重録音にたとえてみたいと思います。

いろんな楽器を別々の「トラック」に録音し、複数のトラックを同時に鳴らす、というのが多重録音です。トラックが複数重なって、層になっていることを「マルチトラック」

と言います。今日では、どんな音楽を作るときでもこの技術を使うのが普通です。

そこで、音楽制作のようなイメージで、何かの「リズムの流れ」がひとつのトラックに入っており、異なるリズムの流れが別のトラックに入っていて……というふうに、マルチで重なっていると捉えてみます。

餃子をそれで考えてみましょう。

口に入れた最初の時点において、熱のトラックに赤いランプがピコーンとつく。その後、カリカリ感のところにランプがつき、塩気のところにランプがついて……という感じで、異なるトラックに刺激が灯(とも)っては止まり、ということが展開される。

次ページの図を見てみましょう。昔、テープに録音していた時代にはMTR（マルチトラック・レコーダー）と呼ばれていましたが、その後、パソコン上の「シーケンサー」ソフトが発展し、現在ではDAW（デジタル・オーディオ・ワークステーション）というものが使われています。

ここでは、マルチトラックで編集するものを、シーケンサーと呼ぶことにさせてください。この図のような感じです。

シーケンスという英語は「一連の流れ」という意味で、シーケンサーとは「一連の流れ

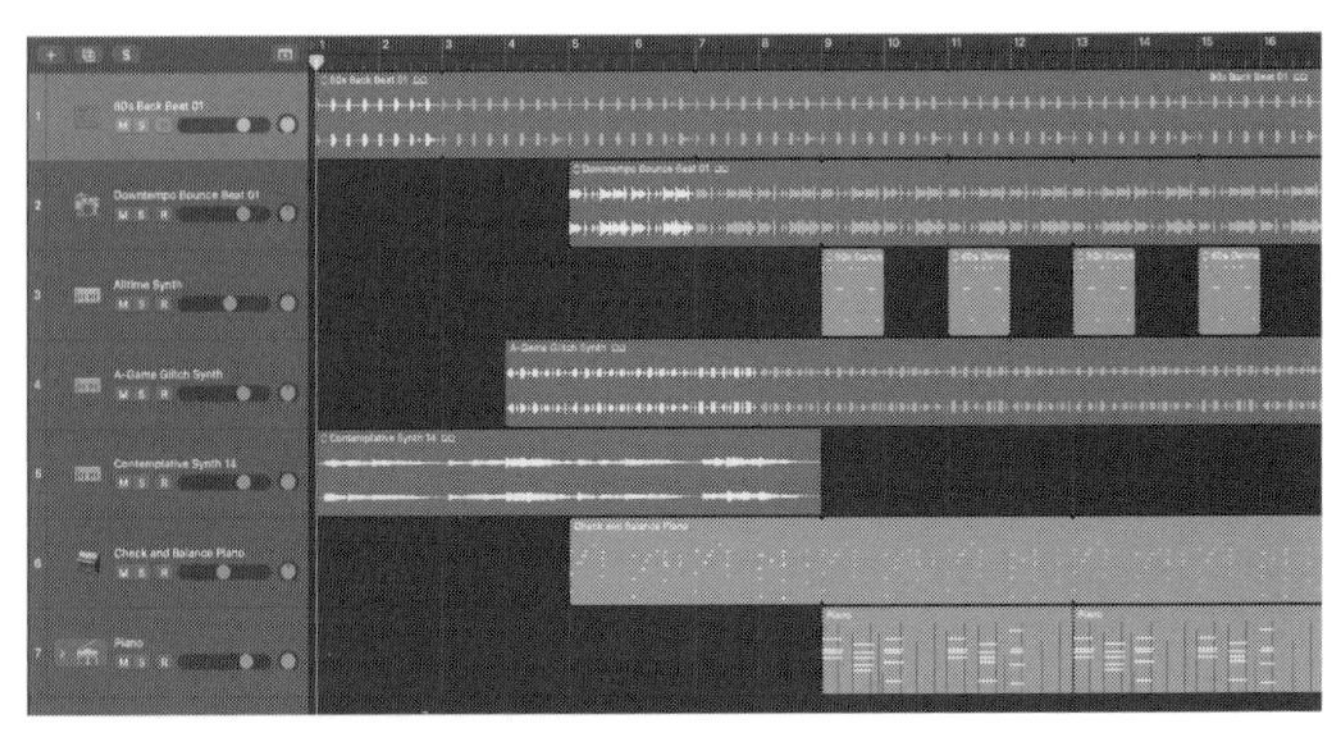

図　シーケンサー（DAW）のマルチトラック

を作るもの」です。

シーケンサーには複数のトラックが並んでいて、別の楽器が割り当てられています。各トラックには波形が出ていますが、ただの線になっているのは音が出ていない状態で、膨らんでいるところで音が出ているわけです。この図を見ると、あるところで音が出ている楽器と出ていない楽器があって、同時に鳴ったり、あるところでは入れ替わったりしていることがわかりますね。ドラムがあり、ギターがあり、シンセがあり、歌がある。

そのようにマルチトラックで曲ができていて、一部ではすべて同時に鳴ったり、一部はドラムだけのところがあったりと、入れ替わりながら進んでいく。そういう流れ＝シーケンスを、こういうソフトを使って構成しているわけですね。

現在では、映画も似たようなソフトで作っています。

映画の場合は、映像のトラックと音のトラックがある。撮影しておいた複数のシーンを横に並べて構成します。A→Bと二つのシーンを並べたときに、最初はそのつもりだったけど、やっぱりその間に、ちょっと視点を変えるような別のシーンCを挟みたいな、と思えば、A→C→Bの順に並べ替えることも簡単にできる（昔はそういうことを、フィルムを実際に切り貼りしてやっていたんですが、いまはデジタルなのでパソコンで簡単にできます）。

その並びに音のトラックでBGMを重ね、さらに、効果音のトラックで何か衝突する音を重ね、という感じです。メインの映像、BGM、効果音という三つのトラックを重ねることでひとつの映画のシーンができる。

このマルチトラックの状態をイメージすると、考えやすいと思うんですね。

我々生身の人間の経験も、こういうものだと思ってみる。各トラックの、何か出来事が起きているところ（音や映像があるところ）が凸で、ないところが凹であり、つまり凸と凹がマルチトラックで展開している。餃子を食べるときには、熱さ、塩味、酸味といった複数のトラックにデコボコが生じるわけですが、それも波形だと言える。

最小限のセンスの良さ——リズムの面白さに気づく

ファミレスでコギャルがまったりしているときのテンションも、波形みたいなものです。いろんな話題、見えるもの、味、温度感覚など異なるリズムの流れがあり、それらは別々のトラックの波形で、それらが合わさることで、そのまったりした状況の交響曲のようなものができる。感覚というものを、このように複合されたシーケンスとして捉える。

さて、そうすると、センスとは何か。さまざまなジャンルにまたがるセンスは、抽象的に、音楽的リズムとして捉えられる。

・音楽であれ美術であれ、インテリアの配置であれ、料理であれ、その「リズムの多次元的な=マルチトラックでの配置」が意識できることがセンスである。そしてその配置の面白さが、センスがいいということになる。

そうすると、センスの良さとは、「いろんなことに関わる抽象的なリズム感の良さ」になるわけですが、それはとりあえず脇に置いておきたい。センスの「良さ」については、第六章で考察します。まずは、ものごとを意味的にどうするかではなく、そこから離れて、デコとボコ（凸と凹）の問題、つまりリズムの問題として、ただ「どう並べているか」という意識でものに関わり始めたら、もうそれだけで、最小限の一歩としてセンスは良くなっていると言いたいと思います。

それだけで、何かのモデル＝意味を目指して、それが成功する＝上手い、不完全になる＝下手という対立から脱却して、別のゲームを始めているからです。

・より正確に意味を実現しようとして競うことから降りて、ものごとをリズムとして捉える。このことが、最小限のセンスの良さである。

どんなことでも、デコとボコの並べ方です。刺激をどのタイミングで出すか。そのタイミングの面白さが、ものの面白さであると言える。

刺激とはつまり差異であり、本書では、何かが続いてから「あれっ」と思うような差異の面白さにまず注目して話を進めていきます。ですが、反復あってこその差異であるわけで、だんだんと反復の重要性を言う方向に向かっていきます。

私たちがものを鑑賞する、味わうときには、デコとボコのタイミング（リズム）を味わっている。繊細にカットされた宝石、あるいは自然のゴツゴツした鉱物でもいいですけれども、それを回しながら眺めるときに、明るい光が見え、暗い部分が見え、長い線が見え、線が斜めに傾き、広い面が見え……と、次々に異なる刺激が展開する。これを大ざっぱに言うと、「キラキラしている」みたいなことになるわけですが、この「キラキラしている」ことの実態は、複数のリズムの展開です。ただ「キラキラしている」でまとめるのではなく、それをリズムの絡み合いとして意識できるようにしていく。

そのレッスンとして、自分の家にあるものを、意味や目的から離れて、デコとボコのリズムとして捉える、その面白さを楽しむ、という見方を試してみる。

気軽にできるモダニズム

意味から離れたリズムの面白さ、それがわかることが最小限のセンスの良さなのだと言いましたが、それは、二〇世紀にいろんなジャンルの芸術が向かった方向なんです。ここで言うセンスの良さとは、意味へのこだわりが強かった時代から、より自由に音や形を構成していくようになるという近代化、現代化——そのことを「モダニズム」と呼ぶのですが、そのモダニズムを良しとする価値観を指していることになります。

ただ、芸術のあり方としてモダニズムがベストとも言えないのですが、そのあたりは難しい話になるので省略します。本書によるセンスの良さへのガイドとは、言ってみれば、モダニズム入門です。日常的な例によって、広い意味でのモダニズムを体感してもらいたいんですね。

一九世紀から、（西洋の）芸術は、意味、メッセージ、物語を伝えるものというより、その存在それ自体に面白さ＝存在意義があるようなものへと展開していきました。

モダニズムのそういう方向として、まず理解されやすいのは視覚的なもの、美術だと思います。

音楽と文学に関しては、けっこう難しい。音楽や文学でも、「脱意味化」のような運動はラディカルに展開されました。しかし、それは一般的な感覚からすれば、それこそ「意味不明」になってしまう。なぜならば、まず文学に関して言えば、言葉というのはまさしく意味を伝えるツールなのに、言葉を使って意味から離れようとする、すなわち「ナンセンス」へと向かっていくものを書いたら、それこそ意味不明になるわけです。前衛的な詩などは、どう解釈したらいいかわからない複雑な言葉の組み合わせを実験したのですが、よほどのもの好きでないと面白いと思えないでしょう（現在でも、そういう詩は書かれ続けています）。

音楽に関しても、脱意味化の方向は、普通に楽しめるかどうかで言えば、難しい。音楽にも言語に近いところがあって、明るさ暗さ、喜び悲しみといった説明可能な感情の流れを表していないと、なんだかよくわからないことになってしまう。音楽のモダニズムでは、かつては許されなかった複雑怪奇な不協和音を使うようになったりしますが、それは単純に耳慣れなくて、気持ち悪い音にしか聞こえないことが多いと思います。ですが、本書を読むことで、そういうものの面白さもわかってくるかもしれません。

比べるなら、美術での「脱意味」は比較的わかりやすいでしょう。なんだかわからなくても、形が面白い、色がガツーンとくる、みたいなものは伝わりやすいと思います。視覚のほうがナンセンスに耐えやすいのかもしれません。おそらく、激しいノイズが押し寄せてくるような聴覚的な無秩序より、乱雑な部屋にいるような視覚的な無秩序のほうが耐えやすいんじゃないでしょうか。音の方が身体にとって近いものがあって、音の乱れはより「体にくる」のかもしれない。

おそらく、そのことは言語と関係があると思います。音は、多かれ少なかれ言語と結びつく。視覚的なものはより間接的です。体から切り離された風景として、目の前でものが乱れていても、比較的耐えやすいのかもしれない。視覚的にものが乱れていても、ひとつの視野のフレームの中に収まっています。視覚的なものにはつねに額縁という大きな秩序がある。

ラウシェンバーグと餃子

そういうわけで、視覚的なモダニズムは入りやすいでしょう。さて、モダニズムの一種と言っても、だいぶ時代が経ってからの作品なんですが、ここで、一九六〇年のいかにも現代美術らしい作品をひとつ見てみることにしましょう。この本の表紙に掲げている絵です。

これは、アメリカの美術家、ロバート・ラウシェンバーグの《Summer Rental +1》というタイトルのもので、一応、絵画として見ることができると思いますが、絵というか、

Robert Rauschenberg, Summer Rental +1
1960, oil and paper on canvas,
Owner: The Albert A. List Family Byram（個人蔵）

いろんな材料を合わせて作ったもので、そういう作り方の作品をラウシェンバーグは「コンバイン」（寄せ集め）と呼びました。この《Summer Rental +1》も、コンバイン作品のひとつです。

ここまでの説明をふまえれば、この作品をどう見るかの準備は半分以上できています。ここには複数のリズムがあり、それらがせめぎ合い、拡散し、それだけの面白さで画面ができていると見ればいいわけです。

それだけでいいのか、何か意味があるんじゃないか、と思われるかもしれません。まあ、あるかもしれません。しかし、まずは、これが「それ自体」としてどうなっているかを見るだけで十分な鑑賞なんです。実際に制作しているプロや、芸術の研究者もそう認めるはずです。まずそれで十分。その上で、この作品の背景を調べて意味を考えてもいい。

ここからは、表紙のカラーの図版を見ながら読んでください。

ちょっと冗談ですが、赤いあたりはラー油のようだし、餃子っぽい感じがしなくもない……まあ、餃子を食べるときの口の中というのはこういう感じじゃないかと。では、この作品をよく見てみましょう。

どこに注目するかは自由ですが、まず、中央左下では三つの色が使われていて、それが交代しています。黒、カーキ、赤茶と三つの色が並んでいますね。A、B、Cという並びがリズムを形成していて、音楽で言えばド・レ・ミが並んでいるみたいなもの。

一番下にある黒は比較的ぴっちりと塗りつぶされているが、左の方はヒョッヒョッと手描きらしい勢いがあります。

その上のカーキは、もっと勢いのある粗いタッチになっていて、上のところのカーキの粗さと、すぐ右下の黒い正方形の密度感が対比になるわけです。

さて、そのカーキの上に、隙間をつぶすように塗られた赤茶色は、ぎゅっと凝縮されているが、勢いもあって……細かい話ですが、真ん中のカーキの勢いがバラけているのに対し、赤茶の方には凝集感があってそれが対比をなしている。

——といった見方は「相当細かいな」と思われるかもしれませんが、ものの並びと対比、つまりリズムがどういう具合になっているかをこんなふうに説明できるわけです。

さて、視線を右上に上げましょう。

画面の半分よりも少し下で、右のところに、海苔のようにべったりした黒い長方形があります。これは幾何学的な長方形で、手描きっぽさが低い。この海苔の部分と、先ほど見た左下の三つの色の運動性が対比されます。海苔の部分は固定的、左下は運動的というわけですね。そしてこの長方形は、重心が下にありますが、それに反発するように、上に向かって勢いのある突き出しが出ています。

下の重さと、上に突き出る勢い。これは対立関係ですから、デコとボコ（凸と凹）なわけです。海苔のような部分がボコだとすれば、それに対してデコが生じている。

ちょっと退いて画面全体を見てみましょう。

この作品は、右に要素が片寄った画面であると言えます。左が空白で、右が詰まっている。

だから、左がボコで、右がデコだと見なすことにしてみます。ところが左のボコの空間もよく見ると、黒と赤茶の色面が一回塗られたあとに、白で塗りつぶした部分がぼんやりあることがわかる。つまり、左の白い空間の中にも、黒と赤茶というデコがあったのがボコ化されている、という内的リズムがあるわけです。

そして右上のところ、ただのデザインみたいな感じで、意味のない文字がコラージュされています。まさにこの作品は、「言葉で意味を理解すべきものではない」ということなのかもしれない。そこでも、一番下の右に傾いたAに対し、その上にバラバラと積み重なる要素が、Aの傾きと拮抗するようにいろいろな傾きに並べられて、ガチャガチャガチャとリズムを形成しています。これらの文字は何か印刷物のコラージュのようですが、てっぺんのNは手描きで、それとコラージュがまた対比をなしている。

などなどと各部分について説明することが可能なわけですが、要するに、複数のリズムがあちこちに展開しているわけです。

それだけといえばそれだけであり、その面白さを鑑賞するのがこの作品の鑑賞だ、ということになります。そして「まるで餃子のようだ」という冗談に戻ると、餃子を食べるときに口の中でいろんな刺激が展開して、「おいしい！」と言うときには、それにまつわる思い出とかも言えるわけだけれども、その味わいの運動自体はとくに意味がない。強度的、リズム的体験なわけです。ラウシェンバーグのこの作品を見ることは、餃子を食べておいしい、というのとほとんど同じ体験なのです。つまり、こういうアヴァンギャルドな現代美術作品は、食べておいしいみたいな「料理的鑑賞」ができるということです。

ラウシェンバーグの場合は、意図的に、意味から離れた作品を作っているわけですが、こういった絵画の自由化は、さかのぼると一九世紀の印象派あたりから本格化していきました。その流れにおいて重要なのは、セザンヌの絵画です。

セザンヌは、サント＝ヴィクトワール山というフランスの山をたくさん描いているんですが、その絵は、山というモデルを正確に描くよりも、形や色彩の運動を描くことに主眼があると言えるようなもので、そうすると、写真的というより抽象性が高くなってきて、その後の抽象絵画への布石になっているんですね。つまり具象から抽象絵画への移行形態であって、そこにあるのは「リズムとしての風景」であると言えると思います。

睡蓮のシリーズで有名なモネの場合は、形というより色彩、あるいは光に主眼があって、色彩のリズムに集中しているから、写真的に形を捉えることは二の次になるわけですね。

第三章　いないいないばあの原理

リズムに乗ること

前の章では、いろんなジャンルのもの——美術でも音楽でも、あるいは食べ物の味わいでも、広い意味でリズムとして捉えられるという話をしました。

鑑賞と制作の両サイドで芸術を楽しめるようになる、また、芸術的なアプローチで生活を捉えるというときに、核心的なのは、「それは何なのか」、「何のためなのか」から離れて、ものそれ自体の面白さを見る、つまり意味を脇に置いて、リズムに感覚を届かせることです。

音楽であれば、音の頻度、高低、強弱など。視覚的には、形、線の方向や長さ、傾き、色彩のコントラストなどが織りなすリズム。文学作品であれば、言葉によって惹起されるイメージの連鎖。そういうものを広くリズムと呼んでいるわけです。

この第三章では、リズムとは何かを掘り下げて考えていきます。

まず、リズムとは、時間的なものです。リズムとしての時間的な流れを、いろんなジャンルにおいて感じてみる。それは、ものに運動性を感じることだとも言えます。絵を見ていても、停止したものとしてではなく、絵の中にあるリズムの動きを追っていく。餃子を食べていても、味や香りのいろいろな展開を楽しむ。

「センスが目覚めてくる」というのは、これは何だろうとか、こんなことをして何になるんだという理屈の次元を離れて、ものを見て聞いて、そこにある要素の並びに体が反応して、そのリズムに乗って体が揺れてくるみたいな、意味がなく楽しい、つまり「強度的」なノリに入っていくことです。体がものとシンクロして動き出すような、ワクワクしてくる感じに入っていく。

うねりとビート

では、そのワクワクとは何か。あるいはドキドキと言ってもいいですが、それは、もののデコボコへの反応であり、そして最もシンプルには、1と0です。私たちの体では、いつも心拍が、ドン・休・ドン・休……と続いている。心臓が収縮を繰り返している。これも1と0です。

1とは、何かが「ある」こと、0とは「ない」ことです。存在と不在。

ラウシェンバーグの絵をまた見てみましょう。

絵の一部をクローズアップしてみると、長い線と短い線という対立があります。長い方は、線が「より存在する」のだから、1です。それに対して、短い方は0だと見なすことになる。このように、「長い」と「短い」は、デジタル的な対立として捉えられる。あるいは、「薄い茶色」と「濃い茶色」ならば、薄い方は「茶色が不在に近い」のだから0で、濃い方は「茶色がより存在する」のだから1、ということになる。

これは、1と0に単純化してみるという話で、ひとつの見方です。「すべては1と0である」と言いたいわけではありません。

長い線、短い線と言いましたが、それは抽象化した捉え方です。実際の絵画において線は、幅に変化もあり、筆のタッチもあるし、そこで同時に色も見ていて、周りにある他の色との関係もあるし……つまり、いろんな差異のなかにあるわけです。長い短いという対立は、「長さ」というパラメータだけに注目した場合で、そうすると極論では1と0ですよね、ということになる。

単純化するならということです。リズムとしての形や色、味わいは、実際には複雑で解きほぐせない「うねり」のようなもの。それを一側面だけで見ると、長さとか明度といったパラメータにおける1と0の対立になる。

ひとまず単純化して言えば、一枚の絵には、あちこちに1と0の対立があると言えます。すなわち、異なるパラメータでの対立関係がある。

1と0とは、存在と不在の対立です。それを先ほど心臓の収縮にも結びつけましたが、さらに言い換えれば、「出来事」です。絵画では、あちこちで出来事が起きている。

音楽を作るシーケンサーを思い出してください。そこには波形があった。音が出ていなければ、波がない＝0、音が鳴ると波が立つ＝1です。

暗い状態に光が現れる。「光あれ」と神が言って、世界が生まれる。光が生じて明るくなるだけでなく、光の出現によって「闇と光という対立」が生じる。普通は、「交通事故にあう」みたいなことが出来事と言われるわけですが、ここでは抽象的、一般的な意味で言っています。出来事とは、「何もない平らな状態に、何か＝存在が生じること」です。

言い換えると、「地」に対して「図」が生じる。

何もない「地」としてのデフォルト状態が0であり、凹（ボコ）です。そこに1が、すなわち凸（デコ）が、「図」として生じる。それは「出っ張り」とも言えるでしょう。それは、知覚に対しては「刺激」と言われる。穏やかな状態が続いていて、そこに何か強いものが生じると生物は反応するわけです。刺激に反応する。基本的には、落ち着いていたほうがよくて、刺激を避けよう、抑えようとするのが生物の大きな傾向です。

極論すれば、絵画でも音楽でも0から1へという出来事の連続なのだ——と言えそうですが、しかし、実際にはディテールが複雑に絡み合っているわけです。絵画や音楽は、その小さな部分だけでも、ひとことでは言い切れない「多様な強度」として形をなしている。絵画の上を目で散歩するときにも、音楽の流れに乗るときにも、さまざまなパラメータにわたる多重の「変化」に乗っているのです。

流れが変化する。流れがたえず複雑に（多次元的に）変化している。それがうねりです。そういう変化のなかに、最も単純な対立、すなわち1と0、存在と不在の対立、あるいは明滅が含まれている——というふうに説明したいと思います。ここでは、ものごとを二つの観点で見ようと言いたいんですね。

・変化しながら、そのなかに、存在と不在の明滅がかすかにある。

「変化」として見る。かつ、「存在／不在」という観点で見る。という二つです。

実はこれは、哲学の非常に古い二つの立場から来ています。「すべては流れていき、変化してやまない」という考え方がひとつで、古代ギリシアにおいてこの立場は、ヘラクレイトスという哲学者が代表です。それに対し、「確固として存在する、ある」ということを重視する考え方がもうひとつで、こちらはパルメニデスによって代表される。

変化とは、新たなものが生じること＝「生成」でもあり、くっつけて「生成変化」とも言われます。それに対して、存在を中心とする考え方、「存在論」がある。

本書では、意味から離れてものをリズムとして見る、という方向でガイドしています。そのときに、リズムというのはまず、複雑に絡み合った生成変化であると捉える。と同時に、長さとか温度とか、何かのパラメータに注目して単純化すると、複雑な生成変化のなかに、1と0の明滅――チカチカするような、フリッカーのような――が潜んでいるとも言える、ということになる。次のようにまとめてみましょう。

・リズムとはまず生成変化の流れだが、そこには、存在／不在の明滅が潜んでいる。

もう一度、絵画に話を戻します。

同じような状態が続いたところから、線にぶつかったり色の変わり目になったりする。一方では、それを生成変化として捉える。その場合は、大きな変化が起きたとしても、それは流れの続きなのです。と同時に、前の状態をデフォルト＝0としたときに、次に1が来ることだとも言えます。捉え方次第で、(1)流れの変化としても見ることができるし、(2)不在から存在へのガクッとした落差としても捉えられる。というダブルの見方を提案したいんですね。

複雑にうねる流れと、ガクッ、ピシッという切り替わりが、どちらも感じられる……これにシンクロすると、体が揺れていく。これが、ノリだと思うんです。

ダンスミュージックみたいなものかもしれない。四つ打ちのビートが、フロアを振動させる低音でドン、ドン、ドン、ドンと鳴っていながら、それに重なって、より複雑なテクスチャーの音楽が展開する。四つ打ちのバスドラムは、存在と不在の明滅です。心拍です。それと重なって、複雑な生成変化が展開していく。こんなふうに、「存在論と生成変化論をダブルで感じる」のがリズム経験なのではないか、と思うんですね。

イメージしやすくするために、生成変化とは「うねり」であり、存在／不在の明滅とは「ビート」だ、という対応づけをしてみましょう。

・リズムとは、「うねり」であると同時に「ビート」である。

この絵は何を言いたいのかではなく、ただのリズムとして楽しめるようになる。それがセンスの目覚めなのだと言いました。それをさらに発展させると、こうなります。

・センスとは、ものごとのリズムを、生成変化のうねりとして、なおかつ存在／不在のビートとして、という二つの感覚で捉えることである。

物語と「欠如」

人間にとって、存在と不在、何かが「ある」と「ない」の対立は、切実な意味を持っています。

先ほどの説明では、リズムをうねり（多様な生成変化）として捉えるのが優先で、そこにビート（存在／不在）が含まれている、というふうに、二つの捉え方に優先順位をつけました。しかし、そもそも、この絵にはどんな意味が「ある」のかとつい思ってしまうことからも明らかですが、人はあるなしの問題に引っ張られ、あるなしの切り替わり＝ビートによって、喜んだり不快になったり、ということが多い。何が起ころうが、それを人生のうねり＝生成変化として楽しむ、というふうにはなかなかいかないし、それはある種の達観みたいなものでしょう。

そこで、「ある」と「ない」の重要性について、立ち止まって考えてみたいと思います。

小説などの物語では、「宝物を探しに行く」というのが定番のパターンです。「ない」ものを追い求めて、やがて見つけることになる。つまり「ない」から「ある」に移行するわけです。典型的には、物語というものは、不在によって、または「欠如」によって進行します。

卵かけご飯を作ろうとしたら、卵を割ってしまったのに、醤油がないことに気づく。いまから買いに行くのか……。お金がないから、働く。そして愛と欲望は、根本的には誰かがいる／いないの問題です。このように、人間にとって不在とは「ただ単にない」のではなく、「あってほしいのにない」というニュアンスを持つ。だから、欠如という言い方がふさわしい。

こんなドラマはどうでしょう。人間関係で何か不安な状態にある主人公が、いろんな経験を重ね、最終的に成長して、より強く生きていけるようになる。それは、自分のアイデンティティが不安定な状態から、より自分がしっかりした状態になる変化として、つまり安定性が「ない」から「ある」への移行として捉えられる。その途中で、何かを求めて手に入れたと思ったら、また失い、失敗し、そして回復し……というデコボコが生じます。そのたびに人は、物語の行方をハラハラドキドキしながら追うことになる。

こうした物語の展開もリズムであり、ハラハラドキドキというのは、そこに「欠如を埋める」という大問題を見て、そのビートにシンクロするから起きることです。しかし、物語のいろんな部分には微妙な味わいがあって、苦難を乗り越えて成長するというだけではない、もっと多彩なうねりの展開としても楽しめるはずです。

欠如を埋める、確かにこれは小説の基本形式です。途中にいろんなハードルを仕掛けることで、解決を遅らせて、読者の関心を引き留め続ける。それに特化すると、エンターテイメント的な性格の強い作品になる。それに対し、「欠如を埋める」ことに直結しないというか、その脇にあるようなディテールが豊かになると、言ってみれば「純粋芸術」的性格が出てきて、しかしエンタメとしてはわかりにくいものになる。

絵画や音楽についても、さらには餃子を食べるときでも、同じように考えられる。形、色、響き、味のデコボコも、小説の展開のように捉えることができるでしょう。すなわち、どんなジャンルでも、はっきりした対立関係——その究極が、存在／不在です——に注意が向くか、もっと微妙なところを見るか、という二つの観点がある。

・ハラハラドキドキ　↓　ビート：はっきりした対立関係、存在／不在
・微妙な面白さ　↓　うねり：生成変化の多様性

ビート的にハラハラドキドキを楽しむのと、微妙な中間色的なところに分け入っていく、うねりの楽しみという二つのアプローチがどちらも重要なのです。この本では、言ってみれば「全芸術をリズムとして捉える」ことを試みていますが、うねりとビートという二つの側面がある。

いないいないばあの原理

「いないいないばあ」という遊びを、ひとつの原理として説明したいと思います。
何かがない＝隠された状態から、露わにされた状態へ。「ない」から「ある」への転換。この遊びを子供は喜ぶわけですが、それは人間の根本に触れているからだと思います。「いないいないばあ」は、根本的な「不安と安心」の交代を表している。しかし重要なのは、これが遊びであることです。実際に、不安と安心をじかに経験するわけではない。それを遊びという形にパッケージして、間接化している。遊びによって、寂しさに耐えられるようになる。

遊びとしての「いないいないばあ」は、ただ存在／不在の対立を表しているのではなく、それを含みながらも、そこから離れ、自立していくリズムだと言える。

実際、「いないいない」と「ばあ」の間隔は、長くしたり短くしたり変化させるし、表情も変えたりなど、さまざまな要素が絡んでいます。子供の身体の中でも、見ているものへの反応だけでなく、いろんなプロセスが動いている。それらが絡まり合って、0から1

へ、また0へというビートが複雑なうねりのなかに巻き取られている、というあり方をしているのだと考えられます。

・リズムとは、不在／存在を背景にしているが、そこからの自立そのものである。

精神分析の創始者であるフロイトは、「いないいないばあ」のようなリズム形成によって、欠如に耐えられるようになる、ということを論じました。そのことが書かれているのは、フロイトの「快原理の彼岸」という論文です。

そこでフロイトが挙げている例は「糸巻き」の遊びで、それを本書では、類似したものと考えられる「いないいないばあ」に置き換えています。

子供が糸巻きを投げて、遠くに転がっていったときに「オーオーオーオ」と言う。これは「いない」を意味します。それから、糸を引っ張って手元に戻し、「いた」と言う。これを反復する。なぜこういう遊びをするかと言えば、母がいなくなることを「みずから上演することによって、断念のいわば埋め合わせをしていた」のだ、というのがフロイトの解釈です（『フロイト全集』第一七巻、六四頁）。

※「快原理の彼岸」は、岩波書店の『フロイト全集』では第一七巻に入っていますが、ちくま学芸文庫のフロイト『自我論集』でも読めます。デコボコ、1と0のリズムに切実なものがあるという見方は、フロイトの「快原理の彼岸」をベースとし、それに、フランスにおいて精神分析を刷新した、ジャック・ラカンの理論を加味しています。

また先ほど、「いないいないばあ」とは、存在／不在の対立だけではないリズムである、という説明をしましたが、これは、精神分析家の十川幸司の議論と関係しています（巻末の「読書ガイド」を参照）。

なぜ人間にとってリズム形成が重要なのか。以下、精神分析の考え方を少し導入しますが、その前に、生物学的な話から始めましょう。

僕は専門家ではないので大ざっぱにですが、一般論として言えるのは、生物は安定した状態を求め、刺激されて興奮した状態を抑えようとする、ということです。生物が内的状態をある範囲内に保とうとすることをホメオスタシスと言います。フロイトの精神分析は心理学の一種ですが、フロイトは文系の人ではなく、医者で、もとは神経科学をやっていて、神経系においてエネルギーの興奮がどう収まるか、ということを考えていました。精神分析では、とくに家族関係を重視して、そこから心の問題を分析するわけですが、そのときにもベースとしては、脳内で何らかのエネルギーが高まっては収まる、という変化を想定しています。

まず一般に、生物は安定状態を求める。このことを、第五章において、「予測」というキーワードを使って説明します。状況が予測した通りになってほしいのが基本で、そこに「外れ」が起きたときに対応を迫られる。次の予測を変更することになる。

さて、いまのは生物一般の話です。その上で、人間の話。

人間は、高度に社会性が発達した動物です。そして、非常に頼りない状態で生まれてきて、他の人間（多くの場合は、親、母親）による保護を必要とします。なおかつ、脳神経が非常に複雑で、ただ本能を実現するだけの生き方にはならず、精神・心を個性的に形成していく特殊な動物で、そのプロセスでも他の人間との関係が必要です。

人間はまず、母の胎内という安定した環境にいて、そこから外界に出て強い光を浴び、音や温度の変化といった、かつてない大きなストレスに晒（さら）されます。外に出てからも、基本的には母・保護者のそばにいることが安心な状態であり、抱かれたり、しがみついたりすることで安心を得る。母の胎内から出て、外のノイズに晒されるという大きな変化。この出生のトラウマを経て、赤ちゃんにとっては、母・保護者のそばにいる／離れるという往復が、0と1の基本的な対立としてある、というのが精神分析の考え方です。

整理しましょう。

(1)人間にも、安定状態を目指すという生物としての大きな傾向がある。

(2)だが、人間の場合は非常に弱い状態で生まれ、長期間、生き延びて成育するために誰かを必要とする。それゆえ、安定状態を目指すという一般的なことが、「他の人間がいてくれることで安定する」、「他の人間がいてくれないと困る」という事態と結びついている。

ここで、(1)と(2)のバランスをどう見るかで、立場が違ってくるでしょう。(1)を中心に見ると、生物学的な方向性になる。他方で、(2)ばかり重視している、何でもかんでも家族関係の問題にしてしまう、というのが精神分析によく向けられる批判です。

現状、結論は出ていません。僕の知る限り、精神科医にしてもカウンセラーにしても両方を考慮している人が多いと思います。そこで、精神分析「主義」みたいにならないようなバランスで、次のようにまとめてみたいと思います。

・人間にとって、何らかの意味で不安定な状態は、ただ生物一般として解消したい状態であるだけでなく、どこか「誰かがいないという寂しさ」を帯びているのではないか。

補足します。ここでのポイントはまず、寂しさがすべてではない、ということです。ただたんに、個人の体質として「刺激に弱い」ようなこともあるでしょう。だがそれでも、人間である限りは、誰かとの関係がやはりどこかで問題になる。

また、「誰か」という言い方をしました。究極的には「母」が原点であるというのも一理あるにせよ、より広く、さまざまな人との関係を想定するためです。

今後、考えを変えるかもしれませんが、本書ではこれを採用したいと思います。

何らかの対立が、デコボコがあるときに、「刺激を抑えて安定したい」というのは生物としての大きな傾向です。それと同時に、人間はそこに、「誰かがいない寂しさ」、「寂しさを埋めたい」というドラマ的何かを感じている。悲しい場面でもないのに、何か風景を見たりして、いわゆる「エモい」感じがするというのは、リズムに潜在する0と1の「寂しさ」を言っているのではないでしょうか。

（さらにもう一歩。この部分は、興味がある方だけ読んでください。ややこしいことを言います。何か風景を見るとする。形や色などのリズムがある。そこでは、ごくニュートラルに、非人間的に、安定と刺激の行き来が展開している。と同時に、そこに人間は、誰かわからない誰かの不在／存在をかすかに重ねてしまう。人間の気持ちに応えたりせず、ただ展開していくだけの物質世界の「無情」がある一方で、そこに、誰かがいないという寂しさを透かし見る。この「無情と寂しさ」の行き来が「エモさ」なのではないか、とも考えられるかもしれません。）

「いないいないばあ」における不在／存在、0と1のビートは、不安と安心の交替ですが、それを、複雑なうねりを成すリズムによって上書きすることで、乗り越える。リズムは、結局は0と1に帰着するのではありません。リズムとは新たな次元であり、人間の根本的な寂しさから自立して、文化と社会の構造を作っていく。だから私たちは遊びや音楽や美術などを必要とするのです。

反復されるものとしてのリズムは、人間が安定的に生きていくために必要なのです。リズムを形成することで人は「主体」となる。リズムとは、反復と差異です。まず反復がある。それは生きるために必要な反復としてある。

・いないいないばあ＝「0と1のビートをうねりに巻き込むリズム」である。それは、誰かがいないという人間にとって根本的な寂しさを、完全になしにするのではなく潜ませながら乗り越える形である。あらゆる遊びやゲーム、そして芸術を、いないいないばあの原理で捉えてみる。

生物は安定を求める、と先に言いましたが、遊びとは、わざと不安定な状態、緊張状態を作り出して、それを反復するのを楽しむことです。それはもちろん本当の不安定ではなく、どこかに「大丈夫だ」という信頼があった上で、一種の「ごっこ」として、シミュレーションとして行われる。わざとストレスがかかることを、安全性をどこかに確保した上で楽しむ。

しかし、遊びからリアルな危険へと境界を踏み越えてしまう場合もあり、人間には、わざと死のギリギリまで近づこうとする文化もあります（エクストリームスポーツなど）。そこまで行かなくても、リズムを楽しむということは、あえて面倒なことをしている面があり（絵をよく見るには集中力が要るし、音楽を聴くことも、ひどく疲れている時にはしんどいでしょう）、それは言ってみれば、不快を快に転換するマゾヒズムのようなところがある。

楽しさには、実は不快が潜んでいる。このことには第五章でまた触れたいと思います。

サスペンス＝いないいないばあ

遊びとは、あえてストレスを楽しむことである。

物語における「サスペンス」とは、意図的に作られたストレスです。サスペンスが「いないいないばあ」に相当することは、もうお気づきかと思います。大切なものが失われた、誰かが失踪した、なにか自分のアイデンティティに欠けたところがある……といった欠如による緊張状態がサスペンスで、その解消、すなわち欠如を埋めることへと向かう。それは、精神分析的に言えば、母・保護者の不在につながっている。欠如を埋めることは、自分が生まれ出てきた場所に戻ることに相当し、故郷に帰るという結末を迎えたりする。

多くのわかりやすいと言われる物語では、０から１へという移行が強調されます。

しかし、物語の面白さは「途中」にある。サスペンスとは英語で「宙づり」という意味ですが、解決に至るまでが緊張状態として遅延され（宙ぶらりんになり）、小さな山が次々に発生し、そのひとつひとつに０→１の小さな解決がありますが、その連続と重なりがうねりを生んで、複雑なリズムになる。だから、「サスペンス＝いないいないばあ」は、0→1が繰り返されるというだけでなく、もっと複雑にリズム的な面白さがある、という意味でも理解する必要があります。

絵画や音楽も、サスペンスの展開として捉えることができます。音楽理論では、緊張した響きがあるときに、それを次の和音で「解決する」という言い方がされます。絵について言えば、視線をあちこちに迂回させつつ、重要な部分に惹きつけ、しかしそこに固定せず、流動し続けるように……といった「動線の遊び」がサスペンスとして展開されることになるでしょう。

小説や脚本の指南書を見ると、0→1の展開を、大きなレベル、小さなレベルでどう設計するかという話が多いようです。しかし、部分が合わさってうねりになるとは、技術的に言ってどういうことなのかを説明するのは難しい。保坂和志さんの『小説の自由』などの小説論シリーズは、それに近いことを書いていると思います。

日常のサスペンス

友達がSNSで何か言ったのを読み、そのあと思考に波立ちが生じる。テーブルに観葉植物を置いていて、ときどきそれに目が留まる。といったことは、日常におけるちょっとしたサスペンスです。また、いわゆる「丁寧な生活」というのも、サスペンス的に捉えられそうです。

丁寧にコーヒーを淹れることは、コーヒーを淹れる時間をサスペンスにしている。ただコーヒーメーカーのスイッチを押して待つのではなく、自分で丁寧にお湯を注いで、コーヒーをじっくりドリップする。わざと面倒なことをして、時間をかけるから「丁寧」なわけですが、それは目的達成を遅延し、その「途中」を楽しんでいるわけで、まさにサスペンス構造です。

コーヒーメーカーという便利な機械は、コーヒーを淹れるという目的を果たすだけ。それに対し、自分でコーヒーを淹れるときには、まず、お湯を注いでいって、少しずつ豆の表面にお湯が染みていく。乾いた状態から染みていくという状態の変化、これは大ざっぱに言えば、0→1です。しかし、そのときには渦巻きができ、泡が生じ、湯気と香りが立ちのぼる――形や色、温度、香りといった複数のパラメータにわたる複雑なうねりが展開し、それこそを楽しむことになる。だから、0→1であると同時に、それ以上に絡み合ったリズムだということが大事なんですね。

　だんだんとコーヒーが抽出されていき、コーヒーがない＝0から、ある＝1へと移行する。コーヒーの液体は豆から出てくるのだから、豆の中に「伏せられていた」とも言え、それが次第に「明らかに」されていく、という意味で、これも「いないいないばあ」の一種なのですが、先ほど説明したように、「いないいない」と「ばあ」の0と1だけが重要なのではなく、そこに絡まってくる多様なうねりによって、なにか楽しさを感じるリズムになるわけですね。

　このように、目的達成を遅延し、余分なサスペンスを楽しむことが、丁寧に生活を楽しむことだと言われたりする。時間をかけて、途中で展開されるリズムを味わう。ただ、それが楽しい時と面倒な時がある。あらゆる場面でそんなふうにやっているわけにはいかないので、適当に済ませることと、時間をかけたいことを織り交ぜて生活することになる。

　逆に話をつなげるなら、コーヒーをじっくり淹れる時の、そのわざと時間をとっている楽しさと似たものとして、ラウシェンバーグのような抽象絵画を見るときの、よくわからない形をたどっていく楽しさであるとか、小説を読んでなかなか主人公の態度が決まらないモヤモヤを追いかけていく面白さといったものを捉えることができます。

芸術においては、無駄な時間をとることが、まさにその作品のボリューム、物量になるわけです。作品には、大きさ、長さ、情報量といった、一定の量的規模がある。芸術作品とは、目的を果たすための道具ではありません。それ自体として楽しまれるもの、すなわち「自己目的」なものが作品であり、「サスペンス＝いないいないばあ」の遅延が作品のボリュームなのです。

第四章　意味のリズム

大きな意味から小さな意味へ

ここまで本書では、芸術作品、あるいは生活の一部を芸術的に楽しむことについて、意味や目的からいったん離れて、ものをそれ自体として、つまり形や色、響き、味などのリズムとして楽しむ、ということを話してきました。「これは何を言いたいのか」、「何のためなのか」と答えを求めることから離れて、リズム「だけでいい」という感覚になることがセンスの第一歩。これが本書のスタンスです。圧縮すると、次のように言えます。

・センス：ものごとをリズムとして「脱意味的」に楽しむことができる。

そこでこの第四章では、むしろ「意味」とは何か、と考えてみたいと思います。

先に言うと、私たちが「意味だと思っているもの」までリズムの形にしてしまう、というのが方針です。奇妙な言い方になりますが、「意味を脱意味化する」のがここでの戦略です。

さて、しばしば人は、この絵にはどういう意味があるのだろうとか、映画を一本観終わって、ここからどういうメッセージを受け取るべきだろうとか考えるわけです。ある映画に、全体としてどういう意味があるかと問うなら、たいがいは単純な結論にしかならないでしょう。たとえば「人を愛することが大切だ」とか、「戦争はいけない」とか、その程度のこと——と言うとむっとする人もいるかもしれませんが——でしかないんですよね。しかし、そういった、いわば「大きな意味」によって括れないものは、よくわからなくて不快だと思う人も多いようです。大きな意味、ざっくり言い切れるような意味ですね、それをキーワード的にして「大意味」とでも呼びましょう。

意味がわかる、というときには、大意味を求めているわけです。

そこで、まず提案したいのは、「部分のつながりを見る」という姿勢です。全体としてどうかよりも、部分を味わうことを優先する。全体の意味がわからないと気持ち悪いというのも理解できることですが、「部分が面白ければそれで十分」という態度もありうる。

作品とか体験というものは、いろんなパーツが組み合わさってできているわけですが、全体としての意味を問われると大ざっぱな感想になってしまう。でも、部分部分を見ていくと、より複雑な、ひとことでは言えないような感覚、つまりリズムが浮かび上がってくる。大意味にこだわらずに、小さな意味に注目する。キーワードにすると、「小意味」です。

人生の多面性

恋人と旅行に出かけるという例を考えてみましょう。その旅行に全体としてどういう意味があったのかと問うてみると、より二人の仲が深まったとか、距離が生まれてしまったとか、そんなざっくりした感じになると思います。でも、旅の途中でお昼を食べるところを探したとき、相手の店選びに自分とは違う面白い目のつけどころを感じたとか、海を一緒に眺めていたときに共感できる場面があったとか、地元の食材の話をしていて味の好みが違うと感じたとか、何気ない発言に不思議なユーモアを感じたとか、いろいろなことがあるわけです。

こういうときに、旅行を通して100%共感するということもなければ、100%違う価値観だと思うわけでもなくて、人生はもっとグラデーションに満ちていて複雑です。ある部分では共感しながらも、別の部分では違和感を覚え、でもその違和感もそれなりに面白く感じられる、などという思いが複雑に絡み合っている。穏やかな時間のなかで、ちょっとした会話の間が生じて、それが面白く思えたり、同時に、なんとも言えない距離にも思えたりする。

このような展開もまたデコボコ、リズムであって、旅行全体を通じてその人に対するポジティブな気持ちとネガティブな気持ちが波を描きながら複雑に展開している。そうした感情の動きをひとことで表現してと言われても、到底ひとことには収まらないわけです。

何かが足りない＝欠如している、それが埋められる、という0→1のビートがありつつ、それには収まらない、もっと複雑なうねりがある。第三章で、不在／存在の対立によってものを見るのと、いろんな要素が絡み合ったうねりとして見る、というダブルの見方を説明しました。ここでは、人間関係の小意味を、一方では0→1でも捉えられるが、それより、うねりとして捉えてみようという方向に向かっています。

旅の初日にはこんな冗談を言ったとか、二日目のお昼を食べたときにはこんなことを感じたとか、旅の断片を思い出しながら、そのひとつひとつに輝きを見る。それは複雑にカットされたダイヤモンドをいろんな角度から見て、輝きを楽しむのと同じことです。

人生の出来事というのは、そのように多面的に楽しむことができる。何々だから良し、こうだからダメ、こうすべき、といった対立が問題になることもあります。それはそれでリアリティだと思います。ですが同時に、判断するのではなく、デコボコの展開を味わうような人生への向き合い方もある。良し悪しというのは、何かが足りないから埋めるということ、0→1の言い換えです（悪い＝欠如、良い＝埋められた状態）。それは確かにある。ですが、それ以上の、ときに不合理で、バカみたいでもある生き方を肯定するのが人間というものではないでしょうか。

映画を観たり、小説を読んだりというケースで考えてみましょう。

ひとつの作品について、楽しいとか悲しいといった感情、許せないとか正しいといった道徳性に動かされて「感動した」と言うわけだけれども、大ざっぱな感動よりも手前にある、そんなに大事とは思えないような小意味の方に軸足を置いて、「要するに何なのか」ではなく、ここがこうなって、次にこうなって……という展開のリズムだけでも楽しめるわけです。小意味のリズムに乗る。要するに何なのかという大意味がわかるのが「わかる」ことで、部分部分の「ノリ」だけでは鑑賞として劣るのではありません。

モダニズム、フォーマリズム

ちょっと偉そうな言い方になるので、反発があるかもしれませんが、たぶんこう言ったほうが明確だと思うので言うと——近現代の芸術観、すなわちモダニズムとしては、部分の面白さをしっかり見ているか、ということの方が「わかっているかどうか」の基準と見なされます。さらにイヤミな感じのことを言います。受け入れやすい大意味を裏切るような微妙な小意味に注目できるか、というのをセンスだとする価値観もあります。

これについて補足説明をしましょう。

何が言いたいかではない。部分を見る、ディテールだけを見る、という「表面的」な見方こそが芸術鑑賞として上位で、それによって、感動したとか人生の深い意味とかを言いたがることに対してマウンティングする、というのがかつて流行しました。おそらく、いまの若い人たちは知らないと思います。日本におけるその代表は、蓮實重彥による映画と文学の批評です。僕も影響を受けたし、この本のアプローチは、三分の一くらい蓮實的なものだとも言えます。

蓮實先生が実際に書いていることと完全にイコールではないのですが、簡単にモデル化してみます。

・即物的なディテール、しかも非常にチマチマしたことに注目し、それが、ある作品について よく思われている印象に対し、ちゃぶ台返しのような効果を発揮するように語る。

ごく小さなつまらないものが、大きくて深いものをやっつける。というのは、ある意味、日本的マインドなのかもしれません。まあそれはともかく、これは実は、西洋が近代化においてたどった歩みをしっかりと引き継いだものなのです。

芸術は立派なものを表現する、それがかつての常識でした。そこから、立派じゃないものを扱う芸術へ、というのが近代、モダニズムなのです。

人々の日常を描いた絵画とか、社会のダークサイドに触れる作品といったものは、現代人にとってごく普通だと思いますが、そういうものは最初反発を受け、当時最先端のインテリによって擁護される必要がありました。「立派な大意味がないものはダメだ」というのが主流だったわけです。つまらない日常を描く絵画ということでは、エドゥアール・マネなどが先駆的でした。そして、意味よりもただ見えるだけのものを描く、光の移ろいを描くというふうに、いまでも大人気の、モネなどの印象派が出てくることになりました。このあたりの作品が一堂に会しているのがパリのオルセー美術館です。

ちょっと脱線して、極私的パリ案内。パリに行けるならルーブル美術館と思うかもしれませんが、ルーブルはものすごくデカくて、古代から近代までカバーしていて、博物館のような側面もあり、事前に見るところを絞る必要があります。僕のお勧めは、オルセーに行って、それからポンピドゥーセンターです。まあ、ルーブルはいいです、そのうち機会があったらで。『モナリザ』よりもマネの『草上の昼食』を見てください。とにかくオルセーに行けば、一九世紀パリの近代芸術の要点がわかる。その上で、現代美術を扱っているポンピドゥーセンターを見る。

オルセー美術館は、昔の駅舎を使った建物なんです。美術館自体が日常のひとコマを、そして機関車、交通の発達、ネットワークという近代技術の行方を表しているわけです。立派じゃないものが主題になる。近代性（その当時の現代性）とは、移ろいゆくどうでもいいものにある。ということを擁護したのが、詩人のシャルル・ボードレールでした。それは「現代生活の画家」というエッセイです。

さて、小さなディテールによるちゃぶ台返し、という話に戻りますが、ともかく以前は、立派じゃなければダメだという権威的圧力がものすごく強くて、それに対し、ささいなものの面白さを突っ張って言わなければならない状況がありました。蓮實的「表面だけ見る」というのが逆にマウンティングになったのは、そういう背景があったからだと思います。

インターネット以後の今日では、マンガ、アニメやゲーム、ポピュラー音楽といった大衆文化と、過去の「立派な」芸術作品を並べるのも不自然ではなくなりましたが、以前は、文化の上下関係、ハイカルチャーとサブカルチャーの線引きがもっと強かった。かつては、映画というジャンルだってまともなものだとは思われていなかった。マンガなんてもちろんんです。いまではマンガを読むのも面倒だと思われる時代になっているようですが。

部分をごく即物的に見る、つまり意味からリズムへ、というのは、立派なものからささいな日常へ、権威から民衆の方へ、という流れであり、その意味でモダニズムなのです。リズム＝ただの形、色、響きなどは、脱意味的であり、そこに注目する見方を「フォーマリズム」と言います。色や響き、味なども、抽象的に言って「形」だとしましょう。フォーム＝形を重視する、というのがフォーマリズムであり、それを先鋭化し、いかにもつまらない部分的な形に注目することで権威的な意味づけをちゃぶ台返しするという「反抗」が一時期流行ったのですが、今度はそれが権威になってしまう結果となりました。その反抗を「ツッパリ・フォーマリズム」とでも名づけましょう。

本書では、リズム＝形を見ることと、大意味が「わかる」ことを両立させたいと思います。かつての「ツッパリ・フォーマリズム」から——一応そういう背景があるということは知っておいた上で——離れる。もっと平熱のフォーマリズムを目指す。

そのときには、フォーマリズムの極端化をやめて、意味がわかることもまた重要だ、というごく普通の感覚をある程度取り戻す必要があります。

感動を半分に抑え、ささいな部分を言葉にする

ツッパリにはならないフォーマリズムを導入するには、こんな言い方ができるかなと思うんです。映画を観たり、小説を読んだりしたときに、「うわ、エグいわー」とか、「なんてワクワクするんだ」、「なんて悲惨な運命だ」とか思うことはあっても、まずはそれを「半分に抑える」ようにする、と。

僕のような研究者が細かく、つまりフォーマリズム的に作品を見ているときも、「なん

てきつい話なんだろう」、「面白い！」といった感想を持ちます。それは自然なことです。でも、その大ざっぱな感想に全面的に持っていかれないようにするわけです。

大意味をいったん保留し、部分部分を見ていく。すると、いろんな小意味のうねりが見えてきます。なおかつ、感動したとか、悲惨な話だったとか、大きく心を動かされる面もある。

感動を半分に抑えておいてから、あとで解除する。

先ほどの旅行の例に戻りましょう。今回の旅はよかったな、こうやって仲良くなれてよかった、という大きな感想を持ったとします。だけど、よくよく振り返ると、細かいところに不安定な感じがあったり、違いに気づいたりもしている。だからダメというわけでもない。そういう複雑さを「味わい」として享受する。よくよく人を観察すれば、どんな人だって憎めないものです。良いところも悪いところもあるし、面白いところがあれば苛立つところもある。トータルに考えて、やっぱりこの人は好きだと思うこともあれば、好きじゃないと思うこともある。人間のあり方というのもデコボコであり、リズムです。それはいつも一定ではない。状況によって、関わり方によって人というリズムは多様に生成変化するわけです。

しかし、大きく結論するのを控えて「小意味のうねり」を感じることには、難しさがあります。というのは、それを言葉にするのが難しいからです。

ここまで何度か「ひとことでは言えない」という表現をしてきました。まさにそうなのです。じゃあ、どうしたらいいか。ある程度の言葉数をかけて表現できるように練習する必要がある、ということになります。

・ひとことで言えないから、わからなかった、要するにどういう意味？　ということになりがちだが、その先へとセンスを開いていくには、小さなことを言語化する練習が必要である。

それは、重要とは思えないちょっとした何かでも、どうなっているかを「観察」して言語化する練習です。たとえば、家具屋さんでスタンドライトを見て、ここがこういう形なのがいいねとか、そんなちょっとしたことから始める。それを言うのは意外と難しいかもしれません。そういう言語化には心理的なハードルがあったりする。意味がない、無目的だと思えるからです。

日常のささいなことを、ただ言葉にする。それはもう芸術制作の始まりです。ものを見る、聞く、食べるといった経験から発して言葉のリズムを作ることだからです。もう文学です。

何らかの作品について、その部分から部分へと目を遊ばせて、何か思うところがあって、それを言葉にし、でも全体として何が言いたいのかという結論がなくても、十分に「批評」だと言えます。それは、批評という「作品」です。文学です。

意味とは何か――近い／遠い

ここまで、大きな意味から小さな意味へという方向で説明してきました。

その上で、意味とは何かを掘り下げて考えてみたいと思います。

これまでの章では、線が長い短いとか、沈黙が続いてから音が鳴るとか、そういう即物的なリズムの方へ、というガイドをしてきました。そのため例としては、何が描いてあるのかわからないラウシェンバーグの抽象絵画を中心にしていました。

ですが、すでに小説や映画の例も出していたので、もう意味の話には入ってしまっていた。物語がある作品は、「意味がわかる」ものです。ですが、物語に関しても、やはりリズムを楽しむのだという説明をしてきた。一方では、何かが欠けていて、その穴を埋めるという0→1の繰り返し＝ビートがあり、同時に、もっと複雑でひとことではいえない小意味のうねりがある。この両面が合わさって、物語を理解することもリズム的経験として捉えられる。「意味のリズム」という視点がもうすでにあるわけです。

しかし、意味から離れてリズムへ、という話じゃなかったのか？　と若干混乱するかもしれません。ところで、意味とは、基本的に言葉によって担われるものだとしましょう。意味を考えるときには、あまり意識していなくても、頭のどこかで言語が作動している。ここで、言葉が発しているもの＝意味を、ただの形、つまりリズムとして捉えるような見方を導入したいのです。妙な言い方になりますが、それは、「意味を脱意味化する」ようなアプローチです。

その作業に取りかかりましょう。

さて、言葉とは、ものに貼りつけられたラベルだと言えます。子供の頃に、言葉を学習していく過程では、実際に何かものを見る場面で、それにシールを貼るように、たとえば「これはトマト」というふうに言葉を教えていきます。ある言葉が「何かのそばで言われる」ことで、その言葉の意味がわかる。言葉にとっては、「近さ」が本質的です。赤くて丸い野菜があるそばで「トマト」と言われることで、「トマト」という言葉――それは音声のリズムですね――が、その赤くて丸い野菜と結びつけられる。

近さ、隣にあること、隣接です。さらに言語学習が進むと、たとえばトマトについての「赤い」という言葉は、いろんな「近いもの」と集合をつくる。出発点がトマトだとして、その赤が、何かの花の色と同じだとわかり、さらにコンロの火につながり、あるいは怪我をしたときに出た血につながる。

ベランダの子供用プールで水に触れて反応したときに、「冷たい」という言葉が言われたとします。その「冷たい」という言葉が、今度はアイスクリームを食べるときに使われると、プールの水とアイスクリームがつながる。

そのようにして、連想が働くようになるわけですね。連想的に近いものが「意味の雲」みたいなものを形成する。

もうひとつ、言葉の動きを制御している重要なことがあります。遠さです。遠い関係にあるものを極端化すると「対立」になります。ですが、まず、近いと遠いの間にグラデーションがあると考えてみてください。距離の違いがいろいろあるということです。温度が低くなっていけば、熱いに対する冷たいになる。温かみのある色から、冷たい色へ。明るい響きから、濁った暗い響きへ。

近さで集まった「意味の雲」がある。そして、そこから遠くなっていく、それと似ていないものの「意味の雲」がある。非常にたくさんの「意味の雲」が、互いに近かったり遠かったりする。抽象的ですが、そういうイメージです。

そうした仕組みで言語を捉えているのが、ChatGPTです。大量の文章データを読み込み、その特徴を学習し、それによって新たな文を生成するＡＩです。ChatGPTに代表されるテキストの生成ＡＩは、「意味とは何か」、「言語とは何か」という巨大な問題に対して、ひとつの見方――それが決定的な答えではないとは思いますが――を示していると僕は思います。

ＡＩと人間――ChatGPTから考える

まず押さえておきたいのは、辞書に書かれている言葉の意味は基本的なものであって、実際に言葉が使われる場面では、もっとニュアンスが多様だということ。当然ながら、辞書には、その言葉の使われるシチュエーションがすべて書かれているわけではありません。言葉は、状況や文脈によって意味を微妙に変えるものです。

そもそも私たちは、辞書を引いて日本語を覚えたわけではありません。生活するなかで、だいたいの意味がわかっていくのがメインで、辞書は確認のため、また特殊な言葉を知るためです。何かを見たり聞いたり、人のふるまいや出来事に立ち会ったときに、その近くでそれを指すものとして言葉が言われ、その言葉はそれを指すんだと意味を覚えてきたわけです。

ChatGPT はなぜ自然な文章を生成できるのか。まず、ChatGPT が「意味」をどう理解しているかですが、人間だったら、「りんごの赤」と言われれば……なんというか、あの鮮やかで強いあの色が思い浮かぶわけですよね、イメージとして。それがどういうことかは、現代科学でもまだ結論が出ていないのですが、ともかく、何か「質」として意味理解をしている。

しかし、ChatGPT が「あの色のイメージを思い浮かべる」ことはありません。

ChatGPT において、「赤」という言葉は、たとえば「りんご」とよく一緒に使われる、

「トマト」や「火」や「血」などと使われる、といったその出現箇所によって、「何と近いところにあるか」を把握している。「赤」の意味は、他の言葉に対して、どのくらいその近くに出てきやすいかというだけなんです。

ある言葉が、他の言葉と一緒に出てくる確率がどのくらいか。

もう少し説明します。ChatGPTは、大量のテキストをもとにしているわけですが、私たちがいろんな言葉を実際どう使ってきたかの「文例」が大量にある、ということです。事実上、「赤」はこういう文例で出てきますよね、ということで、周りにどういう言葉があるときに出現しやすいか、という確率を見ている。それだけを見ているわけです。

ChatGPTに何か質問するとします。その質問文を「プロンプト」と呼びます。たとえば、「芸術においてリズムとはどういうものですか」というプロンプトを与える。このプロンプトは文であり、言葉の集まりです。で、複雑な話になるのでボカして言いますが、この文に対して、大量の文例をふまえて、「芸術」や「リズム」の次にどういう言葉が来るのが高確率なのか、という計算をします。そうして、次々に言葉が出てきて回答が生成されるわけですが、「次に来る言葉として高確率なのは？」という計算を繰り返してその結果が出てくる。

ちなみに、一番高い確率のものだけを選んでいるのではないそうです。むしろ、次に来るものとして低めの確率の言葉をときどき出すようにしている。そうすると、リアルになるらしいんですね。それがどういうことなのかは、よくわかっていないようです。

ただ、直観的にはわかる話だと思います。文例というのは、これまでの慣習、よくあるパターンということで、そこからやや外れたものが出てくるときがあると、リズミカルに、いなるからでしょう。規則性からの逸脱が起きると、人はイキイキしたものを感じる。

さて、はたして、人間の言語もこんなふうになっているのでしょうか？

ChatGPTなどの「大規模言語モデル」は、言語とはどういうものかのひとつの見方を示しています。言葉は、これまでの使い方に合わせるだけでそれなりに使えてしまう、ということ。

で、このこと自体疑問に思えてくるのですが、仮に、人間には本当の思考があって、意味を考えているのだとすると、ＡＩは何も考えていません。ただ、与えられた言葉の次に何が来るのが「それっぽいか」というだけで、空疎な単語列を並べているだけです。

何か質問されたときに、だいたいこう返しておけば無難だな、みたいな「テンプレ」的な返し方があったりしますが、そんなようなものです。しかしそう考えると、私たち人間は、どれほどChatGPTと違っているのか？　という疑問も湧いてくる気がします。

ChatGPTは、質問の「本当の意味」はまったく考えていません。「本当の意味」というものがあれば、ですが。何か訊かれたら即座にそれっぽく答えるけど、実はちゃんと考えているわけではない……みたいな「ノリのいいヤツ」がいるかもしれない。ChatGPTというのは、その究極の姿です。強調して言いますが、「ちゃんと考えている」ところがわずかもない、完全にゼロなので（まあこれは、人間にはＡＩ以上の思考があるという前提で言っています）、究極にノリがいいだけのヤツ、なのです。

ChatGPTは、意味がわかる文を生成します。しかしその意味は、ただの近さ／遠さで選ばれているだけ、すなわち、言葉同士の距離というデコボコの形でしかありません。言い換えれば、ただのリズムなのです。だから、ノリだけのヤツなのです。

ChatGPTが生成する「意味がわかる文」とは、脱意味化されたリズムである。

意味というものを、身も蓋もなく言葉の距離関係だけにしてしまうと、「意味を脱意味化してただのデコボコとして捉える」ことが可能となるのです。

さて、このＡＩの説明をふまえて、話を戻しましょう。

本章では、大ざっぱな感動を半分に抑えて「意味のリズム」だけを見る、ということを提案していたのでした。というのは、ＡＩが文章を生成するのに近い状態に自分を持っていくことに似ています。

小説や映画について、全体として何が言いたいのかというのが「大意味」であり、人はたいてい大意味がわかることで感動するわけです。それをいったん脇に置き、部分部分で何が起きているか、いろんな部分に宿る「小意味」を見て、その絡まり合いを楽しもう、というガイドをしました。そこからさらに掘り下げて、意味というもの全般を、「何と何が近いか遠いかという距離のリズム」として感じる、という説明を行ったことになります。

しかし、人間はＡＩではありません。感情があり、欲望があり、生きるためにどうするか、何が生死に関わるか、と考える。そこを半分に抑え、ＡＩになるわけではないですが、意味の脱意味的な取り扱いにも慣れる、ということです。

ラウシェンバーグの抽象絵画のように、一見して「ただ形や色があるだけ」というのと違って、意味がわかってしまう小説などの場合は、最終的に大意味にまとめようとする力が強く働いて、ただ部分部分をフォーマリズム的に読むことが難しい、という傾向があります。意味を脱意味的にリズムとして扱うというのは、物語芸術に対するフォーマリズムです。

対立関係とリズム

意味をデコボコとして、リズムとして捉える。まず、対立というシンプルなものに注目します。熱いと冷たい、硬いと柔らかい、辛いと甘い、などですね。

赤と青も対立に置かれやすいでしょう。赤は、熱さ、情熱などにつながります。青は、冷たいもの、水、空、広がりがあるといったイメージを連想させる。こういう話は、ChatGPTと同じように、過去の事例では事実上そうですよね、という話です。

赤の周辺に、連想的につながってくるものがワーッと「意味の雲」をつくる。逆方向には青があって、青の周りには、冷たいとか、広々とした感じなどと連想的につながってくるものが雲になる。真っ赤な絵を見て、そこに激しさや情熱を感じるのは自然というか、通例のことでしょう。風変わりな育ち方をしていなければ、ですが。

絵画の上で、ある色からはそれと似たもののイメージが連想され、より離れた対立的な色があるところには、逆の価値を持つものが連想されてきて、イメージがぶつかる感じになります。

小説でも例を考えてみましょう。赤い車に乗っている人物というのは、ちょっと派手な人というイメージになるし、黒い車に乗っている人物なら、どこか重々しく、偉い人とかヤクザのような印象を受けたりする。

そういった色彩の組み立ては、ストーリー展開に結びついたりもします。たとえば、場面が暗い風景から始まって、その後に青い空が出てくると、一気に解放された感じになる。黒という「閉塞」から青という「解放」へ、という意味のリズムがあり、これもまた、伏せられた状態からパッと何か光が現れるという、0から1への展開として捉えられる。

通常の対立を裏切るような方法もあります。そうですね、たとえば「燃えるような青」、「騒々しい青」なんていうのはどうでしょうか。「燃えるような」とか「騒々しい」は、どちらかというと赤とか黄色の方が自然な気がしますが、それを寒色系の方に持ち込んでみると、奇妙でいて同時に文学的な深みとも言えそうなものが出てくる。通常の意味に、ただごとではないようなニュアンスが加わるわけです。青のイメージには、静けさ、冷静さがあったりするわけですが、そこに潜在的な運動性が秘められた表現になる。

こういう表現は、喜びだと思っていても悲しみが含まれているといった、人生の複雑さに似ています。人生というものを単純な言葉では表現できないのと同じです。このように一見矛盾するような文学的表現は、ひとことの「大意味」では良し悪しを言えないような現実のリアリティを捉えるために必要とされるのです。

ミステリ作品では、たとえば、「人々に愛される真面目なパン屋さんが、実は冷酷なサイコパスだった」みたいな人物造形が考えられます。味方だと思っていた人が、あるとき突然裏切りをする、というのも、平らだった状態から出来事が生じるというサスペンスの構造で、意味のデコボコが逆転することで生じるドラマだと言えます。これはドラマとして「普通に意味がわかる」ことですが、要はデコボコによって構成されているわけです。意味がわかる物語展開は、捉え方によっては、ただの（脱意味的な）リズムの変化だとも言える。

小説における人物の態度が急に変わることと、抽象絵画において画面が黄色と紫にパキッと塗り分けられていることを比べたときに、人間はやはり人間に興味があるし、「裏切りに注意せよ」みたいな進化論的なところがあるから、人間の問題の方がより重要だと思うでしょう。しかし、そういう優先順位をいったん保留にする。人物の変化も、絵画における色彩の対立も、どちらもリズムの問題であり、私たちをハッとさせ、関心を持たせる機能を果たしている。それは根本的にさかのぼれば、一定の状態に対して刺激が起きたときに、状態を戻そうとするという生物の根本的傾向（ホメオスタシス）に結びつくわけです。

意味のリズム

リズムという観点で小説を読むと、ある人物が何をしたか、どういう気持ちだったかだけでなく、いろんなオブジェクトや風景などのリズム、そして、内容だけでなく文章そのもののリズムが面白くなってきます。

説明をもうちょっと補います。リズムを捉えるために、まず対立に注目したわけですが、意味の関係とは「距離」であり、しかも何かと何かが一対一で関係しているのではなく、多方向にいろんな距離で要素が絡み合っています。各部分を対立に注目して捉えると、「熱が高まっている方」と「冷えている＝熱が欠けている方」のように、何かの欠如をキーとして捉えることになる。つまり、0と1で見ることになる。部分部分に細かい0と1のビートを見ることになるわけです。しかしそれは一面的な捉え方で、もっと複雑に、いろんな要素が絡み合ったうねりを捉える見方があって、その場合には、対立ではなく、

「近かったり遠かったりという距離のグラデーションが展開している」というふうに見ることになる。

物語では、人物をメインとして流れを追うこともできますが、オブジェクトや風景、空気感などの変化に重心を置いて、人の動きを最優先にしないような見方もできます。人に着目してストーリーを捉えるのは一番ベーシックだと思いますが、ものや風景のリズムのなかに人を織り込むことで、複雑なオーケストラのように物語を捉えることができます。

絵なり小説なりの各部分において、意味が近いところにあるのか、あるいは遠いところへ飛ぶのかというリズム。

まず、単純化すれば、「近い、近い、遠い」、「遠い、遠い、近い」といったビートがある。赤いものがあったときに、次に来るものが縁遠いイメージになる＝赤が欠如する、それとも、近くなるか＝赤のそばにいるか、というわけで、これは「いないいないばあ」の構造だということになる。0と1のビートです。

その一方で、もっと複雑に、いろんな要素の距離――この距離とは、パキッとした対立ではない伸び縮みする遠近です――がうねりながら展開していく、という生成変化がもう一方にあり、その両方で捉えたいのです。

・不在／存在のビート：対立としての意味
・生成変化のうねり　：距離としての意味

感動は二つある——大まかな感動と構造的感動

本章で言いたかった「意味のリズム」の説明は、以上です。もう少しだけ補足します。感動というものを二つの種類に分けるのは、どうでしょうか。

ひとつは、大まかな感動です。いい話だとか、悲惨な話だとかいう感動で、それが作品の大意味に属することは、もうおわかりと思います。それに対して、もうひとつの感動がある。あちこちに展開する小意味の絡み合い、そこにおける意味のリズム、つまり、いろんな事柄の近さと遠さのリズミカルな展開を面白く思うこと。これも一種の「感動」だと思うんですね。これは、ディテールがどう組み合わさって作品になっているかを見ることで、すなわち「構造」を見ることです。これを「構造的感動」と呼びましょう。

大まかな感動なしで、いきなり構造的感動ができる人は多くありません。

訓練を積めばできるようになるとはいえ、すぐにできるものでもありません。普通は、喜怒哀楽のインパクトがまず感動として来るわけで、でもそれをなんとか半分に抑えたい。その上で、「意味のリズム」を面白がる構造的感動ができる体作りをしていきたいわけです。

・センスとは、喜怒哀楽を中心とする大まかな感動を半分に抑え、いろいろな部分の面白さに注目する構造的感動ができることである。

そのためには、小さな、ささやかなことを言語化する練習が必要でしょう。

人は生活上の良し悪しを優先する、つまり、生物としてのサバイバルが大事なので、「こいつは悪いやつだ」（だから避けるべきだ）とか、「主人公に幸せになってほしい」といった感想が先に来ます。そういう感想は、人間が、秩序ある群れをなす社会的動物であり、その生物的必要性から来ている面がある、という意識を持つことも役立つと思います。それを全部にしないわけです。人間は社会的動物であると同時に、もっと自由に想像力を展開する力がある。構造的感動は、生存に直結しない無駄を楽しむこともできる、という人間性と結びついているのです。

この観点から言えば、小さなことを言語化するというのは、言葉は悪いですが、「無駄口」を豊かに展開する練習だ、ということになります。

小説とは、大きく言えば、何かの欠如を埋めるという、生物の根本運動にドライブされながら、その解決を遅延し＝サスペンス構造を設定し、長々と無駄口を展開していくことであり、結果としてあのようなボリュームになるのだ、と言える。小説のこの原理的なあり方を代表的に示しているのが、カフカだと思います。結局何なのか、という大意味を宙づりにし、延々と無駄なサスペンスが展開される。主人公に対し、ちょっとした邪魔が入っては、ああだこうだと余分なことを書かなければならなくなる。それによって長くなっていく。『城』が参考になると思います。

エンターテイメントと純文学

意味のリズムから見ることで、ミステリといったエンターテイメント小説と、いわゆる純文学作品を橋渡しして捉えることもできるでしょう。

欠如を埋めること、つまり0→1の移行、それと結びついた喜怒哀楽がどのように隠され、開示されるか。エンターテイメントの場合、意味のリズムは対立のビートを中心にし、あまり複雑なうねりによって読者を混乱させないようにする。伏せて明かすという「いないいないばあ」を、意味対立によっていろんな規模で設定し、クライマックスへ持っていく。

一方で、意味のリズムがより微細に取り扱われ、対立のビートがありながらも、複雑なうねりの重要性がより高く、そのため、より中間色的な意味の曖昧さ、両義性を表そうとする傾向が強くなると、純文学に寄っていくことになる。

エンタメ寄りの小説論では、余計な描写を避けると言われたりしますが、それは読者に、本筋から離れた連想の負担をかけないようにするためでしょう。それに比べると、純文学において細かな描写というのはすごく重要なものなんですね。

たとえば、雑木林を描くとしましょう。

雑木林が見える。そのとき、葉っぱの一部分の描写から始め、ある木立の全体像が現れてきたその次に、そばを走っている道が見えてくる、あるいはその人物が思っている過去の記憶みたいなものが連想的に引き出されてくる——このように、風景描写と重なりながら記憶が湧き出してくる、といった展開を考えるとしましょう。

ここで何が起きているのか。まず、最初に葉っぱが書かれたときに、雑木林の他の部分は伏せられているわけです。続いて、全体像が次第に明かされていく。ここにも、伏せられているものが明かされ、そして明かされたところで何かがまた伏せられていて、それがまた明かされていく……という「いないいないばあ」が連続している。0→1ですね。と同時に、いろいろなディテールが描かれ、それが過去の記憶を呼び起こし、現在の知覚と過去のイメージが絡み合い、時間を超えたうねりになっていく。純文学的な風景描写にも、0→1の移行が細かく連続していくミステリ的な展開があると言え、しかしそれと同時に、総体としてうねりを味わって、それだけで構造的感動ができるわけです。

という描写についてのこの説明は、保坂和志の小説で、不思議な魅力を感じた部分を念頭に置いています。『季節の記憶』から引用します。

この山を一度降りたところからもう一つ別の海寄りの山の一番上に、「崖」とまでは言わないがかなり険しい斜面から突き出るように建っている大きな家がある。たぶん夏なんかに別荘として使われているらしいいくらかリゾート風の建物で、もっともそこに人がいるのは見たことがないが、その家の敷地の裏にまわって（つまり険しい斜面の一番上のところから）まわりを見ると向かいの山や半分は山に遮られた海がまた違った風に見える。
　そこまで行く道を上っていく途中にはいくつも家があり、道も舗装されていてじゅうぶんに車も通れる幅があるが、そのうちに道幅は変わらないが舗装でなくただの土の道になって、その先に大きな門が見えるその門が目的の山の上のリゾート風の家の入口で、門の左隅のくぐり戸を抜けるとそこの敷地だがそこから家まではまだ二、三十メートル道がつづく。

（保坂和志『季節の記憶』中公文庫、一三三－一三四頁）

　ここは「山の上のリゾート風の家」がどのように建っているかを説明する部分で、何の事件も起きないし、喜怒哀楽が書かれているわけでもない。文体に目立つ個性があるとも思いません。ごく普通の、普段着の言葉を使っていますが、冒頭から独り言のように情報が提示されていく流れには不思議なリズム感があって、それだけで十分、なにか心に触れるドラマになっているように思えるのです。

前半のまとめ

さて、前の第四章までが前半です。第五章から後半に入りますが、センスとは何か、センスを活性化するにはどうするかということは、前半でだいたい説明しました。そこまでで一応、本書のおもな話はわかった、としていただいても結構です。

簡単に流れを振り返っておきましょう。

センスとは、ものごとの直観的な把握であり、いろんなジャンルにまたがる総合的なものです。それで「どう把握するか」ですが、たとえば絵を見て、それが何を言いたいのか、何のためなのかという意味や目的ではなく、それそのもの、、、、を把握するのがセンスなのだと話を進めました。じゃあ、そのものとは何か?——「リズム」である、というのがこの本の理論です。リズムとは、まず「形」のこと。それは広い意味で言っていて、形、色、響き、味、触った感じなどをすべて「リズム＝形」だと見なしている。そのように、いろんな要素があるわけですが、それらはどれも「デコボコ」で出来ていて、だから抽象的に言って形だと見なせるというわけです。ここまで、第二章。

そして第三章で、グッと理論的な話に入りました。リズム、デコボコには、二つの側面がある。ひとつは、何かが「ない」＝不在から、「ある」＝存在への切り替わりであり、それは0→1だと言える。人間は、欠けた状態（欠如）が埋められることに切実な意味を見出します。そのため、あらゆるリズムには、間接的にではありますが、その切実さがどこか匂っている。と同時に、形や音、響きなどは複雑に絡み合って展開するので、ただ0→1には還元できない、もっと交響曲的なとでも言うべき「うねり」を成している。0→1という落差を「ビート」と呼びました。うねりのなかでビートが明滅している。リズムは「うねりとビート」という二重の見方ができる。

意味や目的からリズムへ、リズム＝うねりとビートに乗る。

そして第四章では、意味についても、リズム的な捉え方を説明しました。意味もいわば即物的に捉えることができる。たとえば、「熱い」と「赤」、「血液」、「勇気」といったものは近いものとして連想的に集合をなす。その一方で、「熱い」と「冷たい」は対立です。または、距離が遠い関係にある。そのように、意味を理解するときには「距離」を感じ取っている。そして距離というのは、デコボコだと言える。したがって、これは極論ではありますが、意味もデコボコの問題でしかないと言え（そのようにだけ意味を扱っているのがChatGPTなどの大規模言語モデルです）、だから「意味のリズム」という捉え方ができる。

意味のリズムにおいても、対立つまり0と1を重視するか、もっと複雑にいろんな距離で要素が絡み合っているというふうにうねり的に捉えるか、というダブルの見方ができる。意味のリズム＝距離のデコボコにも、対立のビートと、より複雑なうねりがある。

センスとは何かという問いに対し、ひとまず次のように答えられます。

・センスとは、ものごとを意味や目的でまとめようとせず、ただそれを、いろんな要素のデコボコ＝リズムとして楽しむことである。
・そしてセンスとは、リズムを捉えるときに、(1)欠如を埋めてはまた欠如し、というビート、(2)もっと複雑にいろんな側面が絡み合ったうねり、という両面に乗ることである。
・さらにセンスとは、意味を捉えるときに、それを「距離のデコボコ＝リズム」として捉え、そこにやはり、うねりとビートを感じ取ることである。

第五章　並べること

さて、後半です。話をあらためてシンプルにします。意味からリズムへ、というのがこの本です。リズムというのは、デコボコなのでした。

デコボコというのは、要素がどう並んでいるかです。

とにかく「並び」が大事なんだ、とも言える。

この第五章では、並べるということについて考えましょう。意味や目的ではなく、ただのリズムとして捉えるのがセンスの始まりなのだとしたら、それは言い換えると、全芸術そして生活のいろんな面を「ただの並び」として見る、ということです。

並びとして見るというのは、鑑賞者または消費者としての立場ですが、「並べる」と言えば、それは制作のサイド、生産者の立場です。ものを「並べてある」状態として捉えることで、作り手の意識を感じることができる。そのうちに、自分もやってみようと思えてくる。

並べるというキーワードによって、制作と鑑賞を橋渡ししてみましょう。

映画の「ショット」と「モンタージュ」

ところで、センスの「良さ」については、まだ十分に語っていません。ここまでの流れからすれば、それはリズムのセンスがいいということになりそうです。つまり「リズム感がいい」ということ。しかしそう言うと、結局それって才能じゃないのか、という話になりそうです。

ちょっと留保しておきましょう。概念を分解します。リズムとはデコボコのことで、いま、それを「デコボコをどう並べるか」という話に展開しようとしている。すると、「リズム感がいい」というのは「デコボコをどう並べるか」の問題になります。何らかの意味で、うまい並べ方とまずい並べ方があるということなのか——このことはいったん脇に置きます。次の第六章で考えることにしたいと思います。

では、並べるということについて全般的な話から。

音楽とは、音を時間軸に沿ってヨコに並べたものです。一音ずつ並べるとメロディーになります。また、和音というのは音を積み上げたタテの並びです。

絵画に目を走らせると、タテヨコに形の並びが展開しますが、そこに色や、絵の具の厚みなどのパラメータも重なっていて、複数のパラメータにおけるデコボコの並びがマルチトラックになっています。

さて、ここからは映画をモデルにして考えたいと思います。映画とは、視聴覚があり、小説のように物語があって、総合的なジャンルだからです。

映画には「ショット」という概念があります。一般的にはあまり知られていないかもしれませんが、映画論の本には必ず出てくる概念です。ショットとは、次の場面に切り替わるまでのひとつながりの映像のことです。

簡単に言えば、スマホで録画ボタンを押して、周りをグルッと回しながら撮って、またボタンを押して止める――ここまでがひとつのショットです。このように短いひと区切りのものを録画して、映像編集ソフトに読み込んで、たとえば三つのショットを並べたら、もう短い映画になるわけです。一応強調しますが、ちゃんとしたストーリーがなくても、撮影が上手くても下手でも関係なく、ショットを並べたらもうそれで映画だと言えます。

こんな例を考えてみましょう。

朝、鳥が鳴いていて、白い家を正面から映し出した映像があるとします。これをショットAとします。次に、薄暗い部屋に光が差し込んでいて、ベッドから起き上がろうとする女性の映像が来るとします。これをショットBとします。Aが来て、次にBが来ると、Bの女性は、おそらくAの家に住んでいて、朝起きるところなのだと普通は考えるでしょう。

このように複数のショットを並べると、人間の脳は物語化を行って、「こうなんだな」という意味が生じます。このようなショットのつながりを「モンタージュ」と言います。

ちなみに、大学に入り、映画論の授業に出て、最初に受けた衝撃は、まさにこの「ショット」との出会いでした（それに、大学では映画を研究することもできるのかと驚きました）。九七年か九八年、それは松浦寿輝先生の授業でした。映画の一部を映してから、ショットがいくつありましたか、という質問が教室に投げかけられました。そのときに初めて、映画をいわば即物的に観る、ということを教えられたのです。どういう物語なのかと意味優先で観るのではなく、作り手サイドが何をしているのかを分析するわけです。

よくわからないモンタージュの面白さ

この映画用語を応用して、あらゆることをモンタージュ的に捉えてみましょう。

自然な映画になるように、はっきりわかる意味を生み出そうと、違和感がないようにモンタージュを組み立てるのが通常です。その一方で、なぜこの次にこんなシーンが来るのかと、すぐにはその意味がわからないような飛躍したモンタージュもあります。そうした意外性が強くなると、わかりやすいエンターテイメント的な物語映画からは遠ざかり、より芸術的な性質が強くなってくると言えるでしょう。

つながっているとは思えないような飛躍がどんどん起きる、つながりというより「切断」が連続するようなモンタージュを試みた代表的な映画監督が、ゴダールです。理由は先送りにするとして結論から言うと、ゴダールの作品はとてもかっこいい、痺れるものがあると思うんです。それは価値観の押しつけに思われるかもしれませんが、そこには「かっこよさ」のひとつの定義があって、それを代表的に示しているということです。後ほど説明します。

ゴダール作品も、ものによって物語性と実験性のバランスがいろいろです。映画というより実験映像のような作品もあり、『さらば、愛の言語よ』（二〇一四年）などでその過激さがわかると思います。

それに比べるとより物語的な作品ですが、僕にとって印象深いのは、たとえば『カルメンという名の女』（一九八三年）の始まり方です。これは一応、男女の関係が軸となる映画ですが、最初のほうは展開がよくわからないと思います。夜の街を走る車の列。「波」という言葉を含む女性のナレーションに、海辺の映像が重なる。そして急に、室内で弦楽の練習をする人々。その音楽の区切りのところではなく途中で音がぶった切られ、また別の場面へ。今度は若い女性が映り、緑豊かな温室のような場所。そこはどうも病院の回廊らしい。しかもそこにゴダール本人が登場している。と、こんなふうに始まって、以上に出てきた要素はその後、ある程度「回収」されますが、もうこの始まり方からして、話を追うよりも、いま見ている状況から次の状況への移行そのものを楽しむ、という感じなのです。

突然わからない場面がパッと現れるときの目が覚めるような感じは、人を痺れさせるものがある。

意味が切断されることのかっこよさがある。

その面白さは、笑いにも似ています。一発ギャグで突然変なポーズをとるとか、変顔をすることの面白さも、それまで期待していた「次はこうなるだろう」という予測が裏切られること、突然意味のつながりが外されることにある。その突如の脱臼に驚いて、言ってみればその驚きをごまかすようにして笑ってしまうわけです。ゴダール映画の一部にも「わからなすぎて笑ってしまう」みたいなところがあり、そのことと、「よくわかんないけどめちゃくちゃかっこいい」ことは実は紙一重なんだと思います。

ゴダールよりマイルドな例として、次にこんな映像を考えてみましょう。

まず、水平線が見える海の映像を映します。そこからカメラは突然、どこかの暗い一室になり、窓には新宿のような夜の街が見え、そこで数人の若者がごちゃごちゃと喧嘩している。その後、場面がガラッと切り替わり、緑色の光の中で、山道を車が走っている場面になる（これは適当に考えましたが、色彩と空間の展開が『カルメンという名の女』に似ていて、その記憶からＡＩ的に「生成」されたのかもしれません）。

このつながりの意味は、すぐにはよくわからない。しかし、何が起きているんだろうと、その先を知りたくなってしまう。この喧嘩は何なのだろう、何か事件だろうか……。そのときには、脳において予測を行う回路にエネルギーが投入されているのだと考えられます。

この映像でも、一見関係なさそうなものが並んでいる＝何かが伏せられていて、これから明かされるだろうという、サスペンス＝「いないいないばあ」の構造がある。

隠されたものが徐々に明かされる、つまり0→1ですね、それが期待通りになると安心する。期待が裏切られると不安になるわけです。そして、バラバラに見える並びでも、その先で何かが明かされて安心したい、緊張状態が解決してほしいという方向で期待をかけ、なんとか意味を解釈しようとして脳が努力する。

「あんな並べ方では意味がわからない」という感想は、意味の落ち着きを急いでいることを示しています。

意味や目的がはっきりわかる並び、たとえば、敵から逃げようとして街を走るとか、贈り物を受け取ったら笑顔を浮かべるといったつながりはわかりやすいわけです。それに対して、突然場面が変わって、全然違う風景が目の前に広がると驚くわけです。道を歩いていたと思ったら、次のシーンで歯ブラシがクローズアップになる、というのは、よく意味がわからないかもしれない。しかし、そうした場合でも、広い意味でサスペンスだと捉えてみるのはどうでしょうか。

そして、極端な場合、結局最後までなんだかわからなかったという作品もある。ゴダールにはそういうものがあるし、前衛的な小説にもあるし、抽象絵画はまさにそうです。それは、何かが明かされるかもしれないという0→1のサスペンスが「飽和」することで、もはや、安心と不安のシーソーゲームが問題にならない状態です。部分的に見れば、「ここは何かの謎解きなのかな」と思える部分があっても、総体としては、いろんな要素の交響曲的なうねりを楽しむということになっている。

明確な解決のないサスペンスをただリズム的に楽しむことも、慣れによってできるようになると思います。

サスペンスと思わせておいて、リズムの面白さを――ある種ギャグ的に――展開していくという手法では、デヴィッド・リンチのドラマ作品『ツイン・ピークス』が参考になります。

予測誤差の最小化

以上を念頭に置いて、科学の話を挟みたいと思います。

第三章において、生物は、刺激を受けたときにもとの安定した状態に戻ろうとするという一般論を述べました。それと、人間は非常に弱い状態で生まれてくるので、誰かの保護を必要とし、それゆえに、安定状態に戻ること＝安心と、刺激に晒される状態＝不安の行き来は、他者の存在と結びつきやすく、ただ生物一般としての傾向に加えて、そこに人間ドラマ的なものがかぶってくる、というのが僕の説明なのでした。

ここで、「予測」というキーワードを導入します。

生物は、いろんな面において、次にどうなるかを予測しながら生きている。予測から外れない方が好ましい＝安定している。道を歩いているときは、このまま同じように道が続くだろうと予測するわけです。しかし、あるところで道が陥没していて、歩きながら突然落ちたりすると驚くわけですね。そんなことがあった場合、笑って済ませられればいいのですが、それがトラウマになって、ただ道を歩くだけのことに過剰に慎重になり、不安を持つようになる可能性もあります。何か悪いことが起きるかもしれないというのを「予期不安」と言いますが、それは予測誤差を先取りしすぎる状態だというのがこの観点からの説明です。

生物のいろんな機能は「予測誤差を最小化する」という原理で説明できる、という理論を、イギリスのカール・フリストンらが提唱しています。これは「自由エネルギー原理」と呼ばれるものです。この理論を、僕に理解できる範囲で応用することにします。

映画の話に戻ります。

予測誤差を最小化するという原理に従って、わかりにくいショットのつなぎでも、何らかのわかる展開を予測して、それに合うように勝手に物語化するのが人間なのでしょう。

まっすぐ続く道を車が走っているショットAの後に、突然、便器を上から見下ろしているショットBが続くとします。このAとBの連続には、常識的にはだいぶ飛躍があって、大きな予測誤差が生じるでしょう。そこで誤差をなんとか埋めようとする。たとえば、車で移動しているなら、「どこかに向かっているはずだ、そしてどこかにたどり着くだろう」と予測し、たどり着いた先でトイレに行ったのだ、と思うかもしれません。

しかし、ゴダールのような特殊ケースを挙げるまでもなく、人間は、予測が外れること、予測誤差に喜びを見出すことがしばしばです。意外な展開が面白いわけです。とはいえ、予測通りだと心地よいというのがベースにある。

これは、リズムそのものだと言えそうです。リズムとは、(1)一定の反復があり、(2)そこから外れるとき＝差異がある、という構造をしている。反復と差異です。たとえば、デジタルで表すと、「0・0・0・1・0・0……」という流れがあるとき、まず「0が続くな」と予測するでしょう。そこで、0が三つ続いてから1が来たとき、「あ、違う」＝予測誤差、となるわけです。そしてまた0になり、もうひとつ0が続けば、「まだ続くな、三つ続くな、その後1だ」という予測になる。学習が働いて予測する。このように、「0・0・0・1」という反復と差異が、ワンセットになってパターン化するわけです。

・リズムの経験とは、「反復の予測と、予測誤差という差異」のパターン認識である。

いま「パターン認識」という言い方をしましたが、これが生活の安定性を支えています。予測誤差＝外れも、よくある「外れパターン」として処理すれば、そんなにショックを受けないで済むでしょう。

リズムには、反復からのズレ＝差異があり、だから面白い。とりあえずそうだとして、しかしそれは、反復において予測誤差が起きることだとだけ捉えるなら、不快、不安でしかないはずです。それが面白くなるということを、どう説明したらいいか？

これは僕の仮説ですが、リズムが面白いという受け止めには、条件がある。それは、予測誤差に対する耐性がある程度できていることだと思います。では、その耐性とは何か。予測が外れたときに、直接的にそれに振り回されないことです。というのは、大きな認識として、「ものごとには予測誤差が起きることもあり、そして、予測が外れてもなんとかなることがほとんどである」というような一種の楽観性ではないでしょうか。つまり、予測誤差を一般化していて、一回の外れにいちいち驚かず、「外れというものがときにはあるな」というざっくりした予測内に収めているわけです。それと、結局大丈夫だったという経験が合わさっている。もし、大きなピンチを経験してトラウマになっている場合は、この楽観性を持つのが難しくなるかもしれない。

ところで、「ものごとには予測誤差が起きることもあり、そして、予測が外れてもなんとかなることがほとんどである」という楽観性をシミュレーションするのが「いないいないばあ」のような遊びだと言えるでしょう。第三章では、「いないいないばあ」は、不在／存在による不安／安心を「間接化」すると言いました。この間接化とは、「予測誤差が起きることもあるな」にそれなりに安住できるようになる、ということではないか。

細かい刻みで予測の当たり外れに一喜一憂するのではなく、パターンとして捉え、外れが起きることもパターンの一種として捉えている、というスタンス。これ、退いた視点から世界を眺めているというイメージが湧いてきませんか。

これが人間において顕著な「意識」であり、「精神」ではないか、と思います。他の動物にも多少ありそうですが、人間においてとくに発達しているのが、この退いたところに立って、予測誤差をいわば視野に収めようとする意識で、これをときに「メタ認知」と言ったりします。「メタ」というのは、上から眺めているような視点のことです。

いま「視野」と言いましたが、これは大きな「フレーム」、「外枠」を設定することだと言える。何が起きようが、フレーム内であれば耐えられるわけです。フレームが小さいと、それをはみ出した経験は耐えがたいものになる。ならば、フレームを最大限デカくしてしまえば、諸行無常、何でも平気になる……というのは、仏教的方向性ではないかと思います。そしてまた、予測誤差もパターンに収めるというのを自分の「ブレなさ」としてアピールすると、イヤミで滑稽な人物像が浮かび上がってきます。何があっても、「それも想定内です」みたいなことを言うわけです。マンガ家の「地獄のミサワ」が描いているような感じですね。

諸行無常、何でも想定内、などと言うと、そういう方向には一種のまずさを感じるのですが（良かれ悪しかれ「心を動かされる」ことが人間には必要ではないか、と思われるわけで）、しかし、予測の当たり外れに耐えられるようになるのは、人間にとって必須の条件です。ともかく、リズムという次元が直接の経験から離陸することで、人間はものごとに耐えられるようになる。遊びとはリズム形成の補助なのだ、と見ることができそうです。

それでも人はサスペンスを求める――予測誤差と享楽

普通、生き物としては、世界の運行は予想通りになってほしい。でも、どうもその原理だけでは人間の性(さが)というものはわからない。人間は、予測誤差が生じて驚くこと、サプライズを期待しているところもある。

ただの反復ではつまらないわけです。あれっ、と違うことが起きる＝予測誤差が生じることが面白い。しかし、実際の経験、たとえば車の運転中に、隣の車が急に車線変更して前に入ってくるというサプライズは、基本的には望ましくないことで、それを面白く思うとしたら「何でも楽しみすぎ」な気がします。ここでの「実際」というのは、シビアな言い方をすれば、生死に関わるということです。予測誤差を楽しめるのは身の安全が確保されている場合で、その極端が、ただの作り話やイメージとして戦争やヤクザの抗争などを描くフィクションであるわけです。

一方の極には、車の運転のようなシャレにならない状況があり、他方には、ただ鑑賞するだけのフィクションがある。そして、その中間があると思うんですね。

友達との会話で互いを茶化し合う、いじり合うというのは、遊びに収まるか／シャレにならなくなるかの境界を想定している。スポーツにも怪我をするときがあります。とくにエクストリームスポーツと呼ばれる、スケボーなどで派手なパフォーマンスを競うものだと、いかに危険の手前まで行くかが競われているとも言える。

整理しましょう。大きく言って、生物には、身の危険の可能性があり、予測誤差＝危険のサインに備えている。だが、ちょっとしたことに反応していては自由に動けない。だから、「予測誤差が起きても、まあ、通常は大したことではない」というカバーをかける。ある反復の後に差異が来る、という外れの経験がリズムになって、平気になる。リズム化することで、予測誤差を丸め込む。それは経験における慣れ、習慣化であると同時に、リズムの遊び――「いないいないばあ」など――によって補強される。

ところで、習慣と遊びのどっちが先なのでしょうか。哲学的に考えて、日常を安定させている習慣と、遊びを行うことは、世界がどうなるかわからないという不確定性への対処として、同じ根から出ているように思えます。

習慣は無意識的に働くものですが、遊びはわざと意図的に行う――いや、遊びというのも、どこからが始まりで終わりなのか曖昧です。特定のゲームを始める／やめるというのは明確に思えますが……いや、それだって、ゲームの世界設定を引きずって日常に持ち込むようなところがある。会話において、意味や目的がはっきりした部分と、言葉遊び的なかけ合いはしばしば混交しています。つまり無意識に遊んでいる面がかなりある。

また、フィクションの鑑賞まで広げるなら、マンガやアニメ、小説、映画の影響によって、行動や話し方や人生の方向性が左右されることはよくあるわけです。

・遊びやゲーム、フィクションの鑑賞は、世界の不確定性を手懐(てなず)けるための、習慣に似たものであり、それは「自分自身にリズムを持つこと」だと言える。

しかしながら、です。

反復に対して生じる差異の魅力は、それ自体としては、ダイレクトな危機感から来ているはずです。それが無難に楽しめる程度になる、というのがリズム化（習慣と遊び）ですが、根本にあるのは予測誤差というネガティブなものによる緊張状態であり、それは即物的に言えば、神経系におけるエネルギーの高まりでしょう。より文系的に言えば、死が迫ることの興奮であり、それを抑えるとホッとして心地良いのが基本的傾向であるのと同時に、興奮の不快がむしろ快であるような状態がある。死へと向かう興奮の不快が快になる。

何か刺激を受けて、興奮が高まる方へとエネルギーが流れると、なだれを打ってそれがバーストしてワーッとなるような事態は、犬や猫などにも見られるように思います。それを導いているのは、獲物を捕らえる、敵から逃げる、という本能的な生存目的だけなのでしょうか。僕にはそれだけとは思えません。基本的には生存目的なのでしょう。しかし、そこではエネルギーが過剰投入されており、目的を超過し、合理的な意味から外れて（ナンセンスになり）、一種の「自動運動」になっているのではないか。ただ、通常は、あるところでストップします。ストッパーがかかる。

他の動物とどのくらい共通性があるのかはわかりませんが、人間では、興奮が自己目的化するような自動運動が、奇妙なことに高度に発達している。ということを、精神分析などの理論で想定しています。

これを明確に述べたのがフロイトです。フロイトは、生存本能だけでは説明できないように思われる、わざと否定的なことを繰り返してしまう人間の症状を、「死の欲動」という概念を考え出すことで、なんとか説明しようとしました。

第三章で紹介したように、「いないいないばあ」的な遊びについて論じている「快原理の彼岸」という論文において、「死の欲動」という概念が初めて提示されました。

リズミカルな遊びと化すことで、イヤなことを丸め込む。一方ではそうです。しかしそれを繰り返して楽しむわけです。そういう遊びやゲームを中毒的にやり続けてしまうこともある。それはなぜか。根本的に、イヤなこと＝刺激自体が、不快であるにもかかわらず快であるという両義性を持っているからではないか――と、ひとまず述べることにします。

このことに関し、いろんな理論家がそれぞれの言い方をしています。

精神分析家のラカンは、ホッとして鎮静することが基本的に「快楽」であるのに対し、より根本的なものとして、不快かつ快であるような状態を区別し、それを「享楽」と呼びました。

フロイトが「快原理」と呼んだのは、興奮度が下がること＝「快楽」へと向かうのが一般的傾向である、ということで、その「彼岸」として、むしろ否定的な興奮へと向かう「死の欲動」があるというわけです。

また、ラカンより後の人ですが、レオ・ベルサーニという理論家は、こうした議論をふまえて、生きていくにはマゾヒズムが必要なのだ、と主張しました。そもそも、身体が外から受ける刺激、また内から湧いてくる刺激は、すべて不快です。それに耐えなければ生きていけないわけですが、この「耐える」というのは、最小限の意味で、快に変換するということです。

以上をつないで言うと、次のようになるでしょう。

・生物としての安定志向を超えて、不快かつ快である「享楽」をマゾヒズム的に求めてしまう自動運動＝死の欲動があり、それは通常はリズムの中に収められているが、ときにリズムのタガが外れるまでに激化し、死を賭けるような行為におよぶこともある。

かつて、芸術家にはハチャメチャな人生を送った人がたくさんいたし、格闘家や芸能人もそうです。そこまで行かなくても、日常において、今日はいいやと過剰に食べたり、無駄な買い物をしたり、飲んで騒いだりするのも多かれ少なかれ似たことです。それをどこまで許容するかは価値観の違いがありますが、否定性を快に転化するメカニズムを人間において無しにしようとすることは、不可能だと思います。

ここで、予測誤差という概念をもう一度使います。ラカンにおける享楽とは、予測誤差が肯定的なものとして受け取られることだと言えるでしょう。それは、予測誤差の最小化という原理に反しているのか、それとも、予測誤差の最小化における何らかの事情として——変化に対する「適応」の過程で生じる情動として、など——説明できるのか。この問題は、僕の手には余ります。調べたところでは、精神分析を脳科学と結びつける「神経精神分析」という分野において、ラカン的享楽を、予測誤差が残留し続けるということに関係づける論文もありました（巻末の「読書ガイド」を参照）。

芸術の話に戻ります。

ゴダールの映画でも、その不合理なショットの飛躍、一見つながっていないようなモンタージュというのはまさに予測誤差の連打であり、そこに、痛みかつ喜びのようなものを感じる。つまり「痛気持ちいい」というマゾヒズムです。それがゴダール的かっこよさだというわけです。

日常生活というのはできる限り平穏であってほしくて、家に帰ってきてドアを開けたら、巨大なトカゲとかがいてほしくないわけですよね（ダウンタウンの初期のコントにそんな感じのものがあった気がします）。けれども人は、ただ平穏である以上の刺激を、何らかの「程度」で求めている。さらに言えば、本当の危機的事態になったら、こう言うのは不謹慎かもしれませんが、人間は生きていくためにその状況を享楽するかのようなモードになり、積極的に物語化を行うこともあるでしょう。

「何をどう並べてもいい」ということ

一方では、「白い家があって、次に寝室のショットになり、人物が目覚める」といった、わかりやすいモンタージュがある。それに対して、前衛的な作品の場合では、つながりが切れているようなモンタージュがあって、それをただの意味不明ではなく、サスペンスとして捉える。

予測が大きく外れるのは、通常は不快なことです。しかし、不快かつ快という状態、ラカンが言うところの享楽が人間にはある——享楽という形で、わからないものを楽しむこともできる。

ラウシェンバーグのような抽象絵画でも、何かわかるイメージを見ようとすることに対する裏切り、つまり、花瓶とかリンゴといった「わかる形を目指した予測」から外れる予測誤差が続くわけです。何の絵かわからない、というのは、目でスキャンして予測的に理解することができない、ということです。これは前衛的な映画のよくわからないモンタージュと同様です。抽象絵画もまた、解決のないサスペンスとして、享楽によって味わうことになる。補足すると、ものを見たり聞いたりするときには予測の計算を行っているわけです（というのが現代的な捉え方です）。

しかし、こういう鑑賞はおそらく難しくて、わからないから面白くないということになりがちです。あるいは、食べ物ならば、体験したこともない味だから面白いと思えることもあれば、普段食べていないものは食べたくない、という場合もある。たとえば、フレンチや中華には、何種類もの食材が複雑に組み合わせられ、何工程も経た複雑な味わいの料理があったりしますが、そういう複雑な食べ物は、美味しいのかどうかわからないのと紙一重かもしれません。その意味で、工夫を凝らされた高級な料理というのは、角度を変えて見れば、一種の「闇鍋」だと言えるかもしれません。

この第五章の結論は、何をどう並べてもいい、です。

ただ、それは作り手サイドとしては、です。作るときには、最大限広く、何をどう並べても作品は成立する、と考えてもらいたい。それは原理的に言って、どう並べてあっても人間はそこにリズムを見出そうとするからです。並びの展開に予測誤差が起きても、それをリズムとして回収しようとする。そのとき、「意味はわからないがそういうリズムなんだな」というだけで一応納得する力を、根本的には、誰もが持っていると思います。どんな並びでもリズムとして受け入れようとするとき、予測誤差は、不快かつ快、つまりラカン的享楽になる。

ただそれは原理的に言えばのことで、そこまで広く受け止めてくれる人には届くかもしれないが……という話です。

世の中では、何らかのルールによって秩序づけられた並びでなければ、絵として、音楽として、文学として認めない、という態度がマジョリティです。それは厳然たる事実だと思いますが、作り手はそれを意識してもいいし、無視してもいい。また、意識するというのを分けると、強く意識してもいいし、多少意識するのでもいい。

多くの人は、映画の作り方、絵の描き方、音楽の作り方を勉強するときに、あるルールに従って並べられるようになることこそが勉強だと思っています。

モーツァルトやベートーヴェンのような古典派の音楽には、この音とあの音を一緒に鳴らすと古典派的に聞こえなくなってしまうからダメだ、といった音の並べ方のルールがあります。それを体系化した音楽理論を勉強することで、典型的なクラシックっぽい曲を書くことができるようになります。

だけれど世界を見渡せば、もちろん音楽はそれだけではありません。非常にさまざまな、異質な音楽があるわけです。作曲家・ピアニストの高橋悠治は、「世界音楽」という広い視野で、音楽の本質はリズムだと捉えています。そして西洋文明は、各地のリズミカルな身体を抑圧することになった。高橋は次のように述べています。

（…）リズムの優位が20世紀のアフロ・アメリカ文化の特徴であり、それが身体を拘束された奴隷たちによって、カリブ海からブラジルにかけての地域でまったく新しく創造され、短期間にアフリカを含む全世界にひろまったこと、一方、世界を軍事的・経済的に支配するにいたった近代西洋の音楽が、聴衆の身体の自由を拘束するコンサート会場というかたちに最高の表現を見いだしていることを思いだしてみよう。現在の世界の問題はリズムという領域に集約されている。

（高橋悠治「1　リズム」、徳丸吉彦ほか編『事典　世界音楽の本』岩波書店、十一頁）

世界音楽、ワールドミュージックという広い見方は、音楽というものをひとつの価値観に結びつけずに、より抽象的に捉えることにもつながります。

音をどう好き勝手に弾いても、音楽になるのです。

ピアノには、1オクターブに12個の鍵盤がありますが、すべてを好きに使っていいとして、適当に弾いても十分に音楽になります。

それが音楽に聴こえないのだとしたら、クラシックとかポップスの音の制約を基準にして、そこから外れた並びがあるからダメだ、という判断をしているわけであって、問題なのはその音の並びがそれ自体として音楽かどうかではなく、自分が「何を音楽だと思っているか」であるわけです。だから、その枠組みを変えてしまえば、なんでも音楽になると言えます。

ところで、極端に音の並びの制約が多く、はっきりとクラシックだとわかる音楽は、映画の例で言えば、意味や目的がはっきりわかるモンタージュに近いものです。それに対して、「バラバラの音の並びというのは、ゴダール的サスペンス（極端に前衛的な作品の場合ですが）ということになる。また、その中間状態というのもいろいろ考えられるんですね。たとえば古典派は音の制約が多いけれど、一九世紀後半から二〇世紀にかけて、もっと曖昧な音、濁った音の使用を解除していく実験が展開していきました。ドビュッシーがその代表です。

ここから、ちょっとした音楽史の勉強をしてみましょう。一九世紀から二〇世紀にかけては、使える音をどんどん増やしていきました。ドビュッシーやラヴェルは、従来なかった中間色的な浮遊感を持つ響きを活用しました。この時期の音の拡張は、現代のポピュラー音楽の基礎になっています。そしてその後、あまり聴く人は多くないですが、「現代音楽」と呼ばれる二〇世紀前半に成立したクラシックの進化形があり、その段階に至ると、普通の耳にはめちゃくちゃに音を選んでいるようにしか聞こえないような音楽にまで開放されていくんですね。ただそれは、何でもありにしていったのではなく、正反対に、より細かく音を複雑にコントロールする方法を考えていった結果なのです。ピエール・ブーレーズやカールハインツ・シュトックハウゼンの初期の作品を聴いてみてください。

ジャズもまた、クラシックでは許されなかった音の使い方が許されているジャンルです。つまりクラシックよりも拡張された音楽だと言えます。ところがジャズにもまた、こういう音の並びを外すとジャズらしく聴こえない、というルールがあります。ジャズにはジャズの制約があるわけです。ポップスにもいろいろなタイプがありますが、やはりポップスの制約があります。

・極端なランダム状態を最大値として考えたときに、そこにいろんな制約をかけていくことでいろんなジャンルが成立する。

制約が強い音楽ばかりを聴いている耳からすると、制約がゆるい音楽を聴いたときに、「あれ、おかしいな」とサプライズを経験することが多くなる。

たとえばジャズが登場した頃には、反発を持つ人が多くいました。いまでは信じられないことに、「こんなの音楽じゃない」などと思った人たちがたくさんいたわけです。つまり、芸術において何が予測誤差かは、最初にどういうものを「予測の範囲として普通」だと思っているか、思い込んでいるかに依存するわけです。

つながるかどうかは設定次第

自分が前提している意味の幅よりも、もっと広い意味の取り方をすれば、一見つながっていないものをつなげることができるようになる。

ここで、先ほどの映像の例に戻ってみましょう。海の水平線が映された後、新宿らしきところの暗い部屋に切り替わるというモンタージュがありました。ここで、海と部屋は無関係に思われるかもしれない。でも、たとえば、海というのを「波立っている＝なにかザワザワしている」と抽象化して捉えてみると、都会の夜の部屋に人々がいるのも「ザワザワしている」わけで、言ってみれば、その部屋は海みたいなものだということになります。このように抽象度を上げると、つながっていないものがつながるわけです。

つまり、具体的なものの具体性に縛られているために、つなげられる範囲が狭くなるんですね。それに対して、抽象度を上げていくと、より多くのものがフォルダに入ってくる。たとえば、朝の白い家を正面から映したショットがあり、次に脈絡なく、段ボール箱をアップで撮ったショットが続くとします。それで何が起きているのかはよくわかりません。だけど、こんな見方をするのはどうでしょう。二つのショットは、抽象的に言えば、似たものを映している。どちらも「箱」である、と。

家というのも、抽象化すれば箱です。つまり、まず家という箱が映し出され、次に文字通り、段ボール箱という箱が映し出された——こう言うとバカみたいに思われるかもしれませんが、これはひとつの即物的な映画の見方であって、一見関係なさそうな家と段ボール箱に、「箱」というつながりを見つけたわけです。

これは形に着目した見方です。具体的な必要性とは関係なく、ただ抽象的に、形だけでつながりを成り立たせているわけです。抽象化のやり方はいろいろ可能で、どういう抽象的な共通性を考えるかで、何をどう並べてもつながるということになる。さらにこの考え方を推し進めると、ランダムに次に何がどう来ても、最も抽象的で巨大なつながりがある、と言うことができます。それは、「存在する」という意味でのつながりです。

どんなものだって、存在するという意味では、同じといえば同じだからです。バスタオルが丸まっているのも、飛んでくる着陸間近の飛行機も、この世に存在するものという意味では同じです。丸まったバスタオル、着陸間近の飛行機、段ボール箱などなど、ほとんど関係のなさそうなものが次々に並べられたとき、考え方をものすごく広くブカブカにすれば、「世界」にはいろんなものが、いろんなことがあるみたいにまとめることができちゃうわけです。

「世界」にはいろんなものがある、という立派な意味になる。こんなことを言うと笑ってしまうかもしれません。しかし、無数の異なるものがあるという多様性は、予測誤差の連続であり、それはもう笑うしかないのかもしれません。ともかく、結局は何をどう並べてもつながりは成り立つし、あるレベルでの、ある水準での意味を持たせようと思えば、意味が成り立つ何らかの抽象化のレイヤーを考えることはつねに、任意に可能なのです。

多くの人は、生活と結びついた具体性を中心に考える。それは自然なことです。そこから離れると予測誤差にびっくりして意味不明だと思ってしまう。あるいは、特定の芸術ジャンルのお約束――それは歴史的に、ある時期成立したルールですが――から外れているとダメだとか、技術がなってないといった判断になる。

基本的には、生活実感にもとづく意味性と、特定ジャンルのルールにもとづく意味性の二つが組み合わさって、人が「普通」だと思うものが成立しており、そこからずれると人は拒絶したりする。そこから、何かを並べたときに、つながるものとつながらないものがある、という認識が出てくることになる。

しかし、ここまで説明してきたように、つながるものとつながらないものがあるという認識は誤っています。少なくともそれは、客観的にはない。つながるかどうかは設定次第なのです。

だからまず、何をどう並べてもつながりうるし、すべてはつながり方の設定次第なんだと、気分を最大限に開放してもらいたい。その上で、どのように並べてもいいという最大限の広さから、面白い並びにするために「制約をかけていく」という方向で考えてみましょう。

第六章　センスと偶然性

「全芸術」で考える

絵画や音楽でも、インテリアやファッションでも、要素を並べる＝リズムを作ることだと言えるわけで、ある並び＝リズムを鑑賞する／作ることが大きな捉え方での「全芸術論」になります。

美術とは映画とはこうであるべきだという、個別ジャンルの「規範」に従って考える――マニアはそういう態度で意地悪なことを言いがちですが――のではなく、全芸術という広々とした見方を提案したいのです。すべての芸術はつながっているし、それは生活における食事やインテリアにもつながっているのです。

美術も音楽も、映画も小説も、何かの次に何かが来る、という並びが重なり合った「うねりとビート」である。

また料理の例で考えてみましょう。ポークソテーのマスタードソース。甘みのある豚肉の味の上に、ピリッとした粒マスタードのソースがかけられている。まず甘みと刺激が交代するリズムがあり、さらに、皿全体を大規模に見ると、そのお肉のそばにはクレソンを使ったサラダが添えてあったりして、サラダの中にもクレソンの苦味と、他の野菜のより穏やかな味とのコントラストが形成されており、甘みと刺激が交代するお肉の方と、そこにも内的なリズムがあるサラダの方とを合わせて食べることによって、感覚がより複雑なうねりになっていくと同時に、そこには切り詰めて言えば、穏やかさと刺激という対立＝ビートがある。

絵画における形や色でも、音楽における音の高低や和音の質感についても、同じくこうした事態として捉えることができるわけです。

前の第五章では、ものを並べることを映画的なモンタージュとして考えました。しばしば、良い作品かダメな作品かという判断を、ちゃんと要素の並びがつながっているかということで考えがちです。しかし、つながらないもの／つながるものがあるというのは、相対的なことです。どういうつながりを「意味がある」とするかという設定次第です。

とはいえ、人間には生物的なベースがあって、生命維持、社会の運営、生殖などに関わる、何を大事だと見なすかの基本的傾向があるのでしょう。ただそれが、人間の場合は複雑に変形され、象徴化された形になっています。社会的動物としての傾向が底の方にありつつ、それを変形した上部構造として、さまざまな領域での「こうあるべき」が成り立っているのだと思います。

そのように生物的基盤を認めた上で、芸術的なものを考えるには、最大限に拡張して、何でもつながるという一番広い平面を用意してみてください。まずはそこに立つわけです。では、全芸術と生活において、面白いと言えるような並び＝リズムとは何なのか。それがわかること、それを作り出せることが、センスの「良さ」であるわけです。

美と崇高——偶然性にどう向き合うか

リズムが面白いとはどういうことでしょうか。

基本は、反復があって差異があること、です。同じことですが、言い換えると、規則があって逸脱があること、です。差異＝逸脱に「あれっ」と反応するわけです。そこが刺激になる。ですが、前提として反復がまず大事で、パターンを判別することが必要です。こういう反復があって、それに対して差異があるというのを意識して言葉で言えるようになるには練習が必要です。しかし言葉で言えなくても、絵や音楽、食べ物を楽しんでいるときには、無意識的に、つまり脳における処理として、どういう反復があるかが認識されているのだと思います（その処理は、ＡＩにおける統計的計算に似たことなのではと僕は推測しています）。

・面白いリズムとは、ある程度の反復があり、差異が適度なバラツキで起きることである。

経験的に、そう言えると思います。ものの形にせよ料理の味にせよ、「バランスがいい」と言われるのはこういう意味だと思うんですね。

完全に規則的ではないし、まったくランダムでもない。そういうバランス。これが、およそ「美」と呼ばれるものでしょう。古い美学の理論において、美は「調和」という言葉と結びつけられますが、それは、反復と差異の調和だと言えるでしょう。

カントは『判断力批判』において、自由に戯れるようにして事物が把握されるときに、それが「美」だと考えました。完璧な円や正方形であるとか、規則的なものではなく、「戯れ」に美があるというのがカントの見方です。

その一方で、『判断力批判』では、美に対立する「崇高」についても論じています。この先で述べますが、崇高とは、スケールが大きいものや、威力を感じさせるものについて言われる概念です。本書では、美的に許容できる範囲外に崇高があると考えることにします。

センスが良くなるというのは、カント的な美の意味合いで言われることが多いと思います。その場合には、戯れのバランスが想定されている。しかし、それだけではどうも足りない。現代人にとって、より芸術的と感じられるのは、もっと片寄ったところがあるものではないでしょうか。

言ってみれば、「優等生ではつまらない」みたいなものです。かっこよさ、一種のセクシーさのようなものはバランスの崩れにこそある。これもまた一般に知られていることだと思います。

美学理論に結びつけると、美と対比される「崇高」という概念がこのことに関わると思います。

崇高とは、険しい山、岩石だらけの荒涼たる土地、荒れ狂う嵐の海などについて言われるもので、それは、ごく簡単に言えば、人間がそれを捉えようとしてもフレームからはみ出してしまうようなエネルギー、無秩序、壮大さがあるようなものです。実際それは身の危険を感じさせるものについて言われることが多いのですが、それを「なんと崇高だ……」と味わうことができるには、自分は安全なところにいて眺めている、という必要がある。

バランスが崩れるというのは、美よりも崇高的な方へ傾くことだと思います。そこで本書では、次のように整理してみます。

・差異とは予測誤差であり、予測誤差がほどほどの範囲に収まっていると美的になる。それに対し、予測誤差が大きく、どうなるかわからないという偶然性が強まっていくと崇高的になる。

一般に、ちゃんとものを作ることは、バランスよく作ることだと教えられがちです。音楽だったら、クラシックやジャズなどのジャンルのルールに従い、バランスよく音を並べることが求められる。それはそれで芸術の習得において大事なことですが、同時に、そこから外れていく逸脱力が重要だと人はどこかで思っている――しかしそれは明言されないことも多い。

反復と差異のバランスが崩れ、予測誤差が崇高的に大きくなる。そのような「崩れ」に芸術的自由を見る。これは、美としての良さに加えて、センスの良さのもうひとつの定義だと思います。

言い換えると、これは偶然性がどのくらい働いているかという問題です。

偶然性がほどほどなのか、それとも強く働いているかで、美と崇高のグラデーションを考えるわけです。なお、カントがこう論じているのではなく、偶然性の概念を使った整理は本書の試みです。

「突飛なアーティスト像」みたいなものとして、崇高寄りの奔放さが評価されることもあれば、それもひとつの典型となっているので、それはそれで「狙ってるな」と意地悪に見なされたりもする。それゆえ、ここでは、次のように広く捉えたい。

・偶然性にどう向き合うかが人によって異なることがリズムの多様性となり、それが個性的なセンスとして表現される。

というふうにまとめておきたいと思います。

しかし、もうひとつの問題がある。反復があって差異があるわけですが、反復の方はどうなのか。なにか「あれっ」と思う新奇さを面白さとして語るのが、まず最初にとるべきアプローチだと考え、ここまで説明してきました。

生まれたばかりの状況に戻れば、外の世界には不快な刺激が溢れていたわけです。そのなかに、反復を見出していくことで、人間は安定した存在になっていく。その意味で、一人の人間が生きていけるようになるとは、反復をどう形成するかであり、それと差異がセットになって、人間は「リズム的存在」として生きることになる。

反復とセンスの関係を考える必要がある。これは最後の章で扱うことにします。

「作ろうとする」から「結果的にできる」へ

この章では、引き続き、差異を生成するという観点で話を続けます。

極端には、偶然性に任せてランダムに作る作品というものがあります。

絵を描くときに、ただランダムにくじ引きで選んだ色を、くじ引きで選んだ場所に塗るとする。それは、何の意味も目的もない偶然性の画面になります。しかし、どんなにランダムであっても、緑色がたまたま近いところに並んだとか、要素が左側に片寄って置かれることになったとか、人はそこに特徴を見出して、面白がってしまう。つまり、純粋ランダムなものを純粋ランダムに見ることはできないので、何らかのリズム、あるいは作品の構造と言ってもいいですが、それは勝手にできてしまう。開放的な言い方をするなら、がんばって作ろうとしなくていいんですね。ただし、偶然性を先に立てればの話です。ルールあるいは規範にこだわることで、かえってそれに対して不十分＝下手になってしまう。これは第一章で説明したことです。

二〇世紀の前半から半ばにかけて、芸術に偶然性を導入する実験が行われました。第一次世界大戦後のダダという芸術運動で、詩人のトリスタン・ツァラは、新聞をバラバラに切って箱に入れ、そこからランダムに取り出した単語の並びを詩にしました。

また、「シュールな」という言い方がありますが、それはアンドレ・ブルトンが率いたシュルレアリスムという芸術運動から来ています。それはランダムというのとは違うのですが、特定の意図を持たずに、思い浮かぶ言葉をどんどん書いていく「自動記述」などを提案しました。

一九五〇年代には、アメリカの作曲家、ジョン・ケージは、くじ引きによって音を選んで作曲しました。偶然性の芸術というとケージがその極北のように言われたりします。

過去にはこうした実験がありました。まったくのランダム、偶然のデタラメな状態でも人はそこに何かを見出して面白がることができる。

・最大の開放状態としてただの偶然を置いた上で、いくらかの反復と差異を作っていく。「偶然性ベースのゆるい状態から締めていく」というような発想で、テキトーに絵を描いたり、音を出してみると面白い。何かを表現しようと意気込むのではなく。

届かないズレと超過するズレ

そこで、第一章で説明した、下手とヘタウマの区別に戻ってみましょう。

下手というのは、モデルに対して届かないズレです。それに対し、ヘタウマ的と言えるようなセンスとは、モデルに対して「余っている」ようなズレだと言える。届かないズレと、超過するズレがある。この二つの違いというのは、出発点の違いに由来すると思います。超過するズレというのは、ランダム、偶然性、デタラメ、いわば可能性が余りまくりの状態から限定していくことで生まれるものです。それに対して、モデルに合わせようとしてがんばるために、そこに届かないというズレにしかならないのが下手という現象です。

偶然性から始める。それは、自由な運動性から始めることです。

例を考えてみましょう。絵を描くときに、写真を撮るようにして輪郭線を丁寧に描くのは難しいものです。よほど直観が優れている人でないと、あちこち歪んで不格好な切り絵みたいになってしまいます。それを避けたければ、シュッシュッと大まかな線を何本も引きながら、外堀から攻めていくように、じわじわと輪郭を浮かび上がらせるようにしてみる。ある速さで全体をざっくりと捉え、少しずつ線を内側に向けて限定していって、形を浮き上がらせるように描く方がうまくいくでしょう。このやり方がうまくできるようになると、これは高度な話ですが、一発で輪郭を写し取るような描き方もできるようになるんですが、それには相当の修練が必要です。

しかし、その前段階としてはまず、無駄な線をいっぱい描きながら、そこから形を浮き上がらせるのが有効なアプローチでしょう。そういう描き方で、完璧にリアルにはならなくても、「形がダイナミックに捉えられている」みたいなもので、まあ、それが自分の絵だと認めてしまっていいんです。世の中には、めちゃくちゃリアルに絵を描ける人がいます（しかも、けっこういます）。でもみながそうなる必要はないし、リアルな絵が、絵として最もすばらしいわけではありません。

これは文学でもそうです。たとえば、典型的な恋愛小説を書こうとして、出会いのシーンや告白とか、その失敗といったひとつひとつを、はっきりこうだとわかるようなイメージで実現しようとすると、かえって上手くできていない部分が目立ってしまう。きちんと展開させて、読者を飽きさせないようにとか意図しないで、思いつくままに余計なことをいっぱい書いていていいんですね。そうすると、上手さに届かないがゆえのギクシャクではなく、もっと個性的な、その書き手に独特の崇高さのようなものとしてギクシャクが出てくるかもしれない。場面の描写も、人物の思いも、小説としてよくできているという基準ではなく、自分の身体感覚に従って、書けるように書く――身体から響いてくる偶然性に従って。

ピアノを練習するときにも、二つの態度がありうると思います。一方では、とにかく神経質に間違えないように、楽譜をなぞるように弾くという練習態度がある。しかし、この練習だけでは限界があるでしょう。音遊びのような、自由な柔軟体操のようなアプローチを組み合わせないと、「ちゃんとしよう」という意識ばかりで手が固まってしまう。譜面通りに弾く練習はもちろん必要です。しかしその前提として、鍵盤をめちゃくちゃに叩いたり、ただ指をごにょごにょさせて遊んでみるような、ランダムに開かれた身体があるべきだと思います。そこからの「絞り込み」として、楽譜に合わせることができるようになっていく（僕はピアノ指導については素人ですが、自分がどう身につけてきたかを振り返ると、そんなふうに言えるだろうと思います）。

優れたピアニストというのは、正確に楽譜通りに弾くことができるわけですが、ただ機械みたいに再現しているのではない。鍵盤の上で指をめちゃくちゃに走り回らせることのできる凶暴なエネルギーを持っていて、その有限化として、あるひとつの曲を弾いているということだと思うんですね。だから、優れたピアニストの演奏というのは、確かに楽譜通りでありながらも、楽譜通りにきちんと弾くということを超えるようなスケール感や迫力を持っている。

このことは部屋のインテリアなど、日常的なものの並べ方にしても言えることです。ちゃんと分類目的を果たすことで頭がいっぱいになってしまうと、それがうまくいかず、整理しきれていないというマイナス面ばかりが目立ってしまう。

それに対して、もっとおおらかに、適当に並べるという自由さをベースにして、部分的に分類したり、適宜必要なところにものを置くという目的性もある程度満たす——でも全体として、もっとどうにでも別の並べ方もできるという余地が感じられる並べ方がある。

こうでなければいけないというモデルに近づけようと、きっちり合わせることを目標にしてしまうと、自由がなくなって窮屈になる。センスの良さというのは「余り」だと思います。

でも、これはなかなか難しいことで、生活や仕事では、ちゃんと意味を伝えて目的を果たすことが必要なので、ものの見方が全般的にそうなってしまう。

そこで、偶然性に開かれる練習が必要になってきます。

服を選んだり、部屋に置くアイテムを買うときの好みというのも、無自覚なうちに硬直化していることがよくあります。それをほぐして、もっと自由な選び方ができるようになるには、自分自身に向き合って、自分で自分をマッサージするような取り組みが必要でしょう。人は無意識のうちに、いろんな側面で「こうであるべきだ」にとらわれているからです。しかしまた、個人とは、何らかのとらわれによって特徴づけられるものでもある。

ここまで本書は、センスを活性化していくことを、自由になることとして説明してきたと思います。しかし、考えるべきことはもうひとつある。それを、最後の第八章において、

「アンチセンス」というキーワードで説明したいと思います。

自分に固有の偶然性

一方では、偶然性という余剰を、「どう構造化するか」という意識と拮抗させてコントロールするような努力があり、芸術制作においてはそれがメジャーだと思います。他方では、もっとワイルドに、身体がそもそも奔放で、自由な運動からザックザックとものを作ってしまうようなタイプの人もいる。後者が「天然」などと呼ばれるわけです。しかし、天然の人にだって技術はあり、偶然性をそのまま生きているわけではありません。偶然性と、それに対してどう秩序を作るかが、いろんな事柄において問題になる。大きな方針としては、次のようなスタンスを提案したいと思います。

・自分に固有の、偶然性の余らせ方を肯定する。

目指すものへの「足りなさ」をベースに考えると、それを埋めるようにもっとがんばらなきゃという気負いが生まれ、偶然性に開かれたセンスは活性化しません。それに対して、「余り」をベースに考えれば、自分の理想とするものにならなくても、自分はこういう余らせ方をする人なんだからいいや、と思えるわけです。それは、自分に固有の足りなさだとも言える。ですが、それをもっとポジティブに捉えてみる。その方がより創造的になれると思います。

これはひとつのライフハックで、何かをやるときには、実力がまだ足りないという足りなさに注目するのでなく、「とりあえずの手持ちの技術と、自分から湧いてくる偶然性で何ができるか?」と考える。規範に従って、よりレベルの高いものをと努力することも大事ですが、それに執着していたら人生が終わってしまいます。人生は有限です。いつかの時点で、「これで行くんだ」と決める、というか諦めるしかない。

・人生の途中の段階で、完全ではない技術と、偶然性とが合わさって生じるものを、自分にできるものとして信じる。

たとえば僕は、ピアノで、ジャズっぽい即興演奏をします。そのとき、ちゃんとコードを押さえて、ジャズらしく聞こえる音選びをして弾くことは、多少は練習してできますが、でも十分にはできないんですね。もっと基本をしっかり学ぼうとして、ジャズピアノのレッスンに少し通ったんですが、なぜか途中で、もういいか、と思ってしまった。自分がルール通りに弾けないことを、不足として捉えるのでなく、自分のピアノプレイの過剰だと捉えるように変えたんです。

自分のピアノプレイで出てきてしまうジャズ的ではない不協和音は、それが自分の音楽だと思えば、体を無理に矯正しなくてもいい。まあ、開き直ったと言えば開き直ったわけです。正統なジャズが弾ける人には尊敬の念を持っています。そのための修練は大変なものです。

しかし、芸術、そして生活の芸術的な面をより楽しんでもらいたいガイド役として、僕は、ピアノを弾くとか、絵を描くといったことを、それぞれの人生のなかに固有の仕方で位置づけることは、プロが正統にジャンルの規範を満たすことに劣らない、と主張したいのです。

第七章　時間と人間

芸術とは時間をとること

芸術とは、時間をとることである。最終章の前にこの話をさせてください。

時間を節約する、コストを節約する、ということばかりが言われるのが今日ですが、そもそも、無駄な時間という捉え方に奇妙なところがあると思うのです。むしろ時間それ自体が無駄そのものではないか——哲学的に見て、ひとつの極論ですが、そう言えるかもしれません。

・芸術に関わるとは、そもそも無駄なものである時間を味わうことである。あるいは、芸術作品とは、いわば「時間の結晶」である。

美術館に行って、絵を見て、パッと何かがわかって次の作品に進んでしまうのでは、行ったかいがないですよね。絵の前で立ち止まって、ゆっくり思いをめぐらせながらいろいろな視点で見る、そこにわざわざ美術館に足を運ぶ醍醐味があるわけです。

この絵は何を描いているのか理解したいというのが多くの人の思いであるのも確かでしょう。でも、絵を見るというのは、まず見ること自体が楽しいからだ、ということは同意してもらえると思います。ただ、それがあまりにも何なのかわからないと不満を抱くわけです。しかし本書では、すでにラウシェンバーグのような抽象絵画の楽しみ方も説明したので、よくわからない作品であっても、それをリズミカルな構成物として楽しむという見方を獲得されていることでしょう。

答えにたどり着くよりも、途中でぶらぶらする、途中で視線を散歩させるような自由な余裕の時間が、芸術鑑賞の本質です。確かに、この作品は何だろう？　と問いながら見るわけです。しかし、すぐ解決するというのでは、たんに用事が済んだだけですよね。イヤなことはすぐに終わってほしいし、必要なものはすぐ手に入ってほしい。だから必要なものは買い物に行くこともなくすぐ届けてもらいたいというのが現代ですが、買い物というのは、目的のものがすぐ見つかることより、お店に出かけて、予定になかったものまでいろいろ見て、意外な面白いものを発見するのが楽しかったりするわけです。

途中であれこれ迷うことが楽しい。まあ、面倒でもある。だけど楽しい。ここにも不快と快の共存があります。お店でぶらぶらしているというのも、落ち着かない状態なのであって、それは弱いながら不快の状態であり、でもそれが出かけることの楽しさであるわけです。そこにもラカンが言うところの享楽があるわけです。

途中の過程を引き延ばす。遅延する。それはサスペンスですが、ものすごく広く捉えれば、時間のなかで生きていることがそのままサスペンスだと言えるし、逆に小説などのサスペンスというのは、時間を経験するということ自体を、なんというか、極端な形で——普通は起きないような出来事を起こすことによって——表していると言えそうです。

生活において、目的がすぐに果たされず、あるいはわざとそれを遅延し、ぶらぶらして「時間をとる」ことは穏やかなサスペンスです。そういう「時間をとる」ことが芸術につながっている。形や色、音などがどう並んでいるか、どう構成されているか、そういう要素の並びを散歩するように楽しむ。それは、広いホームセンターで、いろんなものがあるのをなんとなく見てまわることにも似ている。

食べ物に関しても、エネルギーの摂取という必要性を満たすだけなら、ファストフードでもいいことになるけれど、料理を楽しむというのは、ある程度、時間をかけて食べることです。すなわち、一瞬で食べて終わりではなく、口の中で起きるいろいろな感覚のリズミカルな状況に向き合うということです。

ベルクソンの時間論

　さて、ここから原理的な話に進みたいのですが、本書でも、あちこち寄り道しながら説明していて、つまり時間をとっているわけで、こういうことをするのが人間という特殊な動物の本質だと言えると思います。このことを、ある哲学者が深く考えました。二〇世紀初頭のフランスの哲学者、アンリ・ベルクソンです。

　ベルクソンは、現代の目から見て先駆的なことを書いており、最近では、科学との関係で注目されています。日本においても研究が盛んで、その中心的な研究者である平井靖史さんの著作、『世界は時間でできている――ベルクソン時間哲学入門』（青土社）をベースとして、人間と時間の関係について説明してみたいと思います。

　まずベルクソンの世界観では、石とか鉄、水のような無生物から、原始的な生物、動植物、人間まで、存在のグラデーションがあると捉えています。無生物と生物を一貫した視点で見ている。それが、時間をとれるかどうかのグラデーションなんです。

　外から押されたり、刺激を受けるといった作用を受けて、反発する。これを反作用と言います。物質の場合は、作用・反作用が物理法則に従って即時に起こります。ビリヤードを例にしましょう。球を突くと、突かれた球は即時に転がっていく。そのとき球が、「ぶつかった、どうしよう」などと迷ったりしません。当たり前のことですが、物理法則には遅延がない——というのは面白い考え方だと思いませんか。

ところが、グラデーションが生物の方に行くと、刺激を受けたときにどう反応するかという選択肢は増えていきます。ビリヤードの球と球がぶつかるときには、物理法則に従うわけで、答えはひとつです。予想できない多種多様な方向に進みうるとしたら大変ですよね。物理とは、そうした自由なものではありません。

しかし、生命とは不思議なものです。生物は物質が結びついたものなのに、生物のふるまいには自由がある。犬のお尻をペンペンと叩くとどう反応するかは、それなりに予測不能でしょう。しかし、ビリヤードで黄色い9のボールをペンペンと叩いたらどうなるかは予測できる。何も起きないわけですが、もし犬のようにその後の展開が予測不能だとしたら、9のボールをペットにできるでしょう。

つまり、ペットにして楽しい、一緒にいて心がほぐれるといったことは、動きに予測誤差があるからだということになる。奇妙な話です。一方では、世界は予測通り=安定したものであってほしいのに、同時に、予測誤差、言い換えると偶然性を——耐えられる程度の、という条件はつきますが——私たちは欲しているんですね。

物質は、作用・反作用に隙間がありません。ところが生物となると、「作用・反作用のカップリング」がゆるくなるのです。ゾウリムシのような原始的な生物はかなり規則的な動きをしますが、より複雑な動物、複雑であるという意味で高等な動物になるにつれ、より予測不可能性が、すなわち偶然性が上がっていく。

そのように考えたとき、作用・反作用のカップリングが、おそらくは最もゆるんだ生物種が人間である、ということになる。

さて、作用に対して反作用が多様であるということは、すぐに決まった行動をとらずに、迷う余地がたっぷりあるということです。インプットに対するアウトプットに大きな遅延がありうる。人間が感じている時間というのは、たんに出来事が次々に過ぎていくというだけではなく、どういう反作用＝リアクションをするかという余地なのです。

遅延とは、行動の多様性である。人間はそれを誇りに思い、つまり自分は自由であるという意識を持ち、その余裕を楽しみます。ですが、その余裕ゆえに、不安になったり恐怖に陥ったりもします。このプラスとマイナスが混じったジレンマ的な状況が、社会のいろいろな問題を生み出しており（人間の考えと行動はいろいろでありうるから、対立も起きるし、良い出会いも起きる）、また芸術の本質でもあるのです。

可能性の溢れを限定する

自分の人生が、どうしたらいいのか行き先がわからなくなる。日常生活をすごしていても、なんとなく行き場がない、何をしたらいいのかわからないというのは、人間の本質である「可能性の過剰」に溺れてしまっているのではないでしょうか。目的が限定されないと何をしたらいいかわからなくなり、体が固まって、抑うつ的な状態になることもある。

そのようなネガティブな状態を人は避けたいわけですが、脱目的化した不安な状態こそが、深いところで芸術とつながっているのです。

芸術作品を見ることとは、何かの目的達成ではありません。芸術は、いろんな見方の可能性を溢れさせており、とくに抽象的な作品になるとそれが居心地の悪さになって、拒絶を引き起こすのだと思います。しかし、ひとつの作品がある、何らかのリズムがある、という限定によって、ひとつの囲まれた居場所を作り出しているのが芸術です。リズムを感じることは、何かを形にし、仮の安定状態を作ることです。仮の安定状態は、意味がわかるという納得まで行かなくても成立するのです。つまりリズムとして成立するのです。

自己啓発本などで言われていることだと思いますが、不安を解消するための有効な方法は、明確な目的達成のタスクを行うことです。部屋で座ってぼんやりしているのではなく、まず掃除でもする、洗濯する、買い物に行くといった具体的な行動をとることで、可能性の溢れから自分を救い出すわけですね。これは、一種のリズム形成です。悩むよりも行動というのは、意味からリズムへとも言い換えられるでしょう。

「まず動こう」のようなアドバイスは、日本において、神経症治療の先駆者である森田正馬が勧めたことです。森田療法と言われます。不安であっても、とにかく仕事をしなさい、と森田は言います。不安が解消されてから仕事をしようなどと思わない、やっているうちに気にならなくなるから、というわけです。それこそが不安が解消されるということの本質なのだ、と森田は考えました。

これは、技術が十分になるまでピアノを弾けるとは言えないとか、こんなものでは絵が描けるとは言えないといった自己抑制ではなく、自分なりに芸術を始めよう、というアドバイスにも似ていると思います。

タスク処理と芸術には、似ているところがある。洗濯をするといったタスク処理はかなり限定された行為で、余計なことを考えなくていいわけです。が、芸術の場合は、いったん余計なことのなかに身を浸すことになる。さまざまなことに目を向け、想像力をめぐらせ、そのなかで何らかのリズムを作ることになる。最終的には、というか途中でまあいいやと諦めて、「仮固定」として形を作ることが重要で、そうでなければ、終わりのない悩みが続くことになります。

芸術でも、手を動かしてみることが大事なのです。身体運動によって結果的にできてしまうものでよしとする。その「中断」の身体性は、言ってみれば、洗濯をすることに近いのです。

人間の多様性

芸術というのは、いろんなことを感じていい、考えていいと促してくれるものです。想像力の広がりを示しているわけです。と同時に、アーティストは、自分には思いつかないような、ものの限定の仕方を教えてくれる。「こういう形にするのか」という面白さです。

概念として言えば、それは、ある個性的な仕方で「有限性」を示すことです。多すぎる可能性のなかで、作品という有限なものを仮固定する。

ある特定の形にこだわる画家がいれば、ある響きにこだわる音楽家もいる。それは絶対のものではありません。人によって違うわけです。ですから、芸術になじむには、いろんなアーティストのいろんな作品を見ることが大事です。ものを限定するやり方にはいろいろあるということ、つまり、「有限性の多様性」がわかるからです。それによって自分の生き方が柔軟になっていく。自分の生活においても、楽しみを見出せるポイントはもっと多様だということに気づくでしょう。

たくさんの例を見ることで、仮固定でいいんだということがわかってくる。風景を描くときに、絶対唯一、最高の描き方というものはない。さまざまな作品のあり方は、どれも仮のもの。最高傑作とか究極の何々と呼ばれるものがあるわけですが、たくさん見ているうちに、「確かにそれは傑作だけど、他にもいいものはある」という感覚が育ってきます。

現実の目的達成では、しばしば、他にはやりようがなくてそうするしかないという結論になるわけですが、芸術はそうではなく、多様性や相対性を教えてくれるのです。そして、大きく見て人生のリズムというのも、いろいろでいいじゃないかということになる。

多様な芸術があるということに近づけて、人生の多様性を肯定できるようになっていく。ただ、ここには重要な衝突があり、人間社会には、こうするのが正しい、これが善でこれが悪だという倫理や正義の問題があります。倫理や正義に関し、絶対のものがあるかどうかにはここでは立ち入りません。現実の問題に対して自分はどういう立場をとるべきなのかという悩みは尽きないでしょう。しかし芸術には、「どうすべきか」の手前の時間がありあます。これは現実から目を逸らすことではありません。人間と出来事に対する別の見方を探るということです。

こういう言い方には反発を抱く人がいるかもしれませんが、どんな悪人の人生でも、芸術的観点で見ればひとつの作品だと言えます。実際、文学作品では、現実の社会では許されないことが、人間のある種どうしようもないひとつの可能性として描かれたりします。そのときにそれは、「こういう悪い人間に気をつけましょう」といった注意喚起のメッセージを発しているわけではありません。

人間というのは、根本的に可能性の溢れを生きている動物であって、その溢れには、何らかの規範から外れること、端的に言って悪も当然含まれます。それゆえに、現実の社会運営では、人が共に生きていくために必要な制限や禁止が設定されている。ですが、そもそも人間が、悪まで含めて途方もない可能性の溢れを生きているということを表現において認めるのが芸術の力であり、それは、人間が人間たる条件を認めていることにほかならないのです。

目的志向と芸術的宙づり

人間は、他の動物に比べて、非常に大きく可能性を余らせている存在であり、だから遅延を生きている一方で、やはり動物なので、目的を最短で達成しようとする傾向もある。この二つが綱引きをする。さっさと目的達成ができることが快である面もあり、他方で、まさに人間らしさとして、途中でまごまごすること、サスペンスを楽しむ面もある。サスペンスは不安、不快でありながら面白い。ラカン的享楽です。

実際の目的達成をするのではない余暇のすごし方として、二つの傾向が考えられます。ひとつは、目的達成の楽しさをシミュレーションする方法で、架空の目的に向けて何段階ものハードルを設定し、そのサスペンスを楽しむというもの。それが遊びやゲームであり、これはあくまでも目的志向なので、おそらく本能的になじみやすく、芸術よりもポピュラーだと言えるでしょう。やはり人は動物であって、目的達成が生きることのメインだからです。

それに対して、目的達成より途中の宙づり状態がメインになると、より芸術的になってくる。ただ、それは不安と背中合わせなので、目的性がよりはっきりした遊びやゲームに比べてポピュラリティが低くなります。

人間の生活は、目的志向と、宙づりを味わう不安混じりの享楽という二つをミックスすることでできている。人によってはそのバランスがどちらかに片寄っている場合があるでしょう。

ゲームにせよ、芸術的な宙づりにせよ、人間にとって楽しさの本質というのは、ただ安心して落ち着いている状態ではないわけです。楽しいということは、どこかに「問題」があるということです。漠然と問題があって、興奮性が高まっていることが、不快なのに楽しい。楽しさのなかには、そのように「否定性」が含まれている。普通は、否定的なものは避けようとするので、このことは意識に上ってきません。しかし、芸術あるいはエンターテイメントを考えるときに、これは非常に本質的なことです。

第八章　反復とアンチセンス

芸術の意味

本書では、意味や目的から離れて、ものごとをそれ自体として楽しむということを、手をかえ品をかえ、説明してきました。メッセージではなく、まず形がどうなっているか、リズムの構造を見る。それは、批評の言葉で言うと「フォーマリズム」という立場なのでした。

しかしそうすると、リズムが面白ければそれだけでいいのかと、読みながら疑問を感じてきた方もいるかもしれません。

途中で、「芸術の意味」とは何なのか、ということに触れておくほうが親切だったかもしれないのですが、この最終章でそのことを考えたいと思います。

「結局この作品は何なのか」というのを脇に置くのは、意味がわかるかどうかにとらわれる人が多く、抽象的だったり複雑だったりする作品へのアクセスが最初から閉ざされてしまうからです。いろんなものを同一平面上で見るためには、まず意味への関心を一度外したほうがいい。すると、ただの四角形とか線とか、ペンキが飛び散った跡だけがあるような画面でも、あるいは人間や風景を描いた「意味がわかる」ものでも、いずれにせよ、リズムの面白さという同じ観点で楽しめるようになる。

しかし、ここで現代的な問題が浮上してきます。

生成AIが大量のテキストや画像を学習して、それっぽく作り出したものと、人間が何か気持ちを込めながら作ったものが、リズムだけ楽しめばいいのであれば、区別がつかないということにもなりそうです。でも、本当にそうなってしまうのでしょうか？

ある意味で、答えはイエスです。

たんにそれ自体として、強度的に、ナンセンスにものを楽しむという意味では、AIがアウトプットしたものを楽しめるし、人間が作るものもいわば「脱人間化して」楽しむことができてしまうわけです。それに、ずっと昔、一九二〇年代前後にダダやシュルレアリスムがやろうとしたことは「人力のAI」みたいなものだったとも言える。

しかし、人間とAIはやはり違うと、少なくとも現時点では、言いたいと思います。おそらく最後に残るのは、生きた身体があるかどうかです。人間は生物です。生物としての、生きるために何かを求めるという衝動がある。コンピュータにそれはありません。

芸術と「問題」

芸術においては、広い意味での形、つまりリズムによって何かが表現されている。では、何が表現されているのか。

多くの人は、そこで「わかる」ことを求めるようです。たとえば、戦争を描いた長篇小説があるとして、戦争の悲惨さを訴えるとか、戦争反対、というのがその小説の大きな意味、わかりやすいメッセージだとしましょう。しかし作者は、そうしたメッセージを伝えるための「説得の手段」として長々と小説を書いているわけではありません。戦争で不幸を経験するたくさんの例によって、メッセージを強くしようとして長篇小説が長くなっているわけではないのです。

むしろそこで提示されるのは、戦争が起きることのやむを得なさであったり、悲惨な状況においても何かの風景に見出される希望であったり、戦争というものの複雑さであって、大筋としては戦争の悪を告発しているのだとしても、それだけにはまとめられないものがある。悪だとわかりながら歴史を通して何度も繰り返されてしまう戦争の悲劇性、その途方もなさが、さまざまな角度から幾重にも描かれる。

戦争というのは人間にとって、ひとつの巨大な「問題」です。その「問題」の複雑さを、具体的な描写を通して、まさに複雑さとして提示しているのが戦争小説だと言える。

戦争反対とは、戦争がなくなるという「問題の解決」へ向かうべきだというメッセージです。だけれど、作品が人を捉え、深く思考させるのは、「問題」が「問題」として提示されるからです。「問題」の複雑さ、執拗さを表現している。

出来事を、ただ出来事として見る。出来事の解きほぐせない絡み合いは、人間ドラマ的な見方がメインになっていると、しばしば覆い隠されてしまうものです。本書では、意味や目的から距離をとって、ただそこで展開しているリズムを見るというスタンスを説明してきたわけですが、そのほうが「問題」が浮かび上がってくるのです。

・問題とは、繰り返し浮上してくるもの、反復するものである。

この人は復讐したかったのだとか、正義は勝つといった結論を脇に置き、絡み合って展開する形＝リズムを見ることによって、起きていることの複雑さを捉え、その上で、そこにもう一度人間的な気持ちを与え直す。

　そういう視点をとることで、善悪や恨みつらみといったドラマよりも、この作者はどういう感覚に敏感なのか、といった深い次元が捉えられるようになる。

　この作者は音を注意深く描いているとか、空間の狭さに敏感に反応しているといったことを見ていくと、それは、なにか知覚過敏的なものと関係しているのでは、といった読み方が出てくるかもしれない。すると、何と何がどういう利害で戦争をしているという意味や目的から離れ、極限的な事態において人間がどのように刺激を受け、心がどう苦しみ、そして人間関係がどのようにその救いになるのか、といったことが「問題」として浮上してくるかもしれない。

　空間の狭さに注目しているのだとすると、息苦しさであるとか、逃げられなさが「問題」になっているのかもしれないし、あるいは、戦争という巨大なものから隠れることのできる空間が「問題」になっていたりするのかもしれない。

作品とは「問題」の変形である

このような説明をしていくと、戦争小説のなかに、抽象絵画が見えてくるような気がしませんか。それは、もしかするとラウシェンバーグの絵のように見えてきませんか。

実際、ラウシェンバーグがどういう状況で作品を作ったのかという伝記的事実を調べたら、そこからの説明もできると思いますが、それはひとつの解釈の仕方であって、それがわからなければ鑑賞できないわけではありません。そこで展開している形のぶつかり合いを、鑑賞者の感覚と結びつけて捉えてもいいのです。そこに、戦いのような激しいコントラストを見ることもできるし、密度の高い部分から広いところに視線が抜けていくときに、なにか解放感を感じたりするかもしれない。

つまり、抽象絵画の上を歩き回ることが、戦争という状況におけるさまざまな運動性と似てくるわけです。戦争というのはもちろん一例にすぎません。ラウシェンバーグのあの絵を、戦争として見るのが正解だということではまったくありません。戦争小説の例を説明したので、その連想でつなげることもできるだろうという話です。抽象絵画では、そこで起こっているリズミカルな展開に何を思うかは、自由に任されているわけです。

ただ、ラウシェンバーグという個人に着目して言うと、土色のような、汚れたような色彩が多用されるのはなぜだろう、ガラクタが寄せ集められたようなイメージはいったい何の表現なのだろう、と考えていく楽しみがある。確かにそうした作品の傾向には、その作者独特のもの、つまり個性が表れています。

個性とは、何かを反復してしまうことではないでしょうか。

個性的な反復。それは、何らかの問題の表現です。その問題が結局何を意味するのかは曖昧なままです。ラウシェンバーグは、問題を解決するために作品を作るのではなく、問題を「抱えている」から作品を作る。個人が抱えている、自分では十分自覚できていないような問題をめぐって作品が生み出される。

問題が変形されて、いろんな形をとる。何かが繰り返されているらしいのだが、それがいろいろな差異で表現される。私たちは、自分の体験や嗜好に照らして、それはこういう意味じゃないかという感想を持つわけですが、当然答えはひとつに定まらない。ラウシェンバーグ固有の「身体の癖」のようなものである色や形のリズムに付き合って、それとシンクロするようにして、何かを考えさせられるわけです。

小説を読むときには、人物の気持ちや狙いを読み解こうとします。しかし先ほど言ったように、描写される空間の特徴であるとか、あるいは文のスピードの変化、どこで段落が変わるか、どれぐらい説明し、省略するかといったことも含めて、そうしたリズムのあり方は、絵画で言えば、画面にどう形や色や質感を展開するかに対応している。物語を理解していくのと同時に、そこに潜在的なものとしてある問題の反復が、どう書かれているかの観察によって感じられてきます。ただ、それが何なのかは、はっきりとはわかりません。

どうしようもなさとジレンマ

芸術とは、それを作る人の「どうしようもなさ」を表すものだと思います。何らかの反復です。それが芸術の深く、プライベートな本質です。人間は社会的な存在なので、そのプライベートなどうしようもなさと、公的なこうあるべきという規範との衝突が起きることがある。そうなってしまうあり方と、公的な「べき」との間に葛藤が生じる。

小説においては、やってはいけないことが書かれることもあるわけです。しかし、文学だから何だって書いていいというのではなく、倫理、規範意識や、人のどうしようもなさに対する宗教的とも言えるような「赦し」が複雑に混ざり合ったような状態で書かれる。そこには葛藤がある。公共性との葛藤、あるいはジレンマが書かれるのです。

芸術には、宗教に近いところがあります。イエスは罪人を赦すわけですが、罪人を赦したら、多くの人は石を投げます。キリスト教は、後年、ある種の道徳のシステムになっていきますが、開祖にはすべてを赦すところがある。

芸術の軸足は、身体的な癖と言えるような反復の方にある。公共性に軸足があったら、こんなあり方をしていてはいけない、直しなさいという話になる。公共性と身体性のどちらに軸足があるかが、エンターテイメント的なものと、より芸術的なものを分けるとも言えそうです。

身体と公共性にジレンマがあることはわかっていて、それを公共性に寄せることで作品のメッセージを読み解こうとするのがポピュラーなのだと思います。それに対し、ここで提示しているのは、社会とのジレンマがあるときに、やや刺激的な言い方をすれば、「身体という悪」の方に寄ることに芸術の意義を見出すというスタンスです。

センスとアンチセンス

さてここで、「センス」というキーワードに戻ります。

一定の反復とそれに対する差異がリズムの面白さであり、基本的には、それがある程度のばらつきで配置されると「センスがいい」ものになる。しかし、ほどほどのばらつきを備えたアウトプットならば、何の「問題」も持っていないＡＩでも生成できてしまうでしょう。また、より逸脱性が強く、偶然性を意識させるような「崇高寄り」の方向に崩すことも、パラメータの確率をうまく設定すればＡＩでもシミュレーションできそうです。

おそらく重要なのは、反復の「必然性」ではないかと思います。生きることと結びついた必然性です。生物として、刺激の嵐のなかで、おのれの主体性を仮固定するためにその反復が必要だった、そうするしかなかった、という必然性です。

コンピュータにそれはないわけです。何かが足りない、だから埋めたいという生命的な0→1には、生きるんだ、という必然性がある。コンピュータにおいては、すべての情報が0と1のペアに還元されますが、そこで0と1はまったく等価であり、0に「無」とか「欠如」の意味などありません。二つの状態が区別されるだけです。人間にも、デジタル的と言えるような二項対立でものを処理している面がありますが、そこには、生きようとする向きと関係する何らかの片寄りがあって、純粋な情報空間が展開しているということはないのではないかと思います――これは僕が推測するに、ですが。

話を戻します。ラウシェンバーグの作風にしても、小説家の文体やよく出てくるモチーフも、制作活動全体におよぶ大きな反復だと言えます。要するに、「この人はいつもこういうことやってるよな」というわけです。人はそのような反復に、なにか重いものを見出すのです。

ひとつのことにこだわらず、いろんな事柄へ飛び移っていくほうがセンスがいいと言えるかもしれません。そうしたあり方は軽やかだと言われたりします。それはそれで褒められることもありますが、しかし人は、どちらかといえば、宿命的に何かに取り憑かれている人にどうも惹きつけられてしまう。ただ、「宿命的に何かに取り憑かれているみたいにふるまう」という自己演出もあるので一筋縄にはいきません。

ともかく、反復と差異のバランスという意味でのセンスの良さがある一方で、何かにこだわって繰り返してしまうことが重要なファクターとしてある。それは、いま言ったセンスの良さを台無しにすることもあるので、「アンチセンス」と呼びたいと思います。

人生は、何かを反復し、変奏していく。その出発点には身体があるわけですが、そこに起因しながらも、問題というものはそこから離陸し、抽象的な渦巻きとなっていく。問題は反復されますが、いつか別の形になるかもしれず、それも予測がつきません。一生涯を通して反復されるのかどうかはわかりません。ともかく問題と付き合いながら、人間は変身していく。

ところで、作品を人生に還元するのも違うし、作品を完全に個人から離れたものとして捉えるのも違うと思います。作品は、主体化と共にあると同時に、主体の変容、さらには匿名化と共にある。

あるどうしようもなさの反復には、その根底に、たまたまこの存在として生まれたという偶然性が響いています。反復には、偶然性、ランダムであることが重なっている。執拗なるものとしての必然性を持ちつつも、たまたまそうなってしまっているという偶然性を両義的に帯びている問題が、反復と差異のセンスを引き裂く。そのとき人は、そこに重要なものがあると思うのです。そこには真面目に向き合わなければいけないものがある。

デモーニッシュな反復

センスがいいというバランスを食い破るような、問題の反復によるアンチセンス。どうしようもなさの亡霊。そこには、何らかの典型的なもの、テンプレ的なものが関わっているのではないか——このことを最後に説明したいと思います。

個性というのは、一〇〇人いれば一〇〇通りに多様ではありますが、ひとつの個性は純粋にオリジナルなものではありません。個性には、人生において見聞きし、それをモデルにして自己形成するところの、いろんな典型性――ステレオタイプ、テンプレート、クリシェなどと言い換えることができる――の反復が含まれています。

典型的なものとの関係なしに主体となることはできません。主体化の過程では、何らかのモデルを参照する。それはイメージ的なものでもあるし、言語的でもある。

ある時代と場所にたまたま生まれたことで、子供の頃に見聞きしたものが制作のモチーフになるとか、人生のある局面で出会った雑誌の1ページのイメージや言葉が残っていて、それが変形される、などなど……。ある種の迫力を伴ってセンスを突き破るものは、その人の個性としての反復ですが、それは「個性的なテンプレ性」みたいなものではないか。オリジナリティとは、その人がどのように典型的なものと関係を持ち、また距離をとってきたかということのオリジナリティです。

以前、ある本を出すときに、表紙のデザインを担当編集者の方と考えているとき、「あまりかっこいいものって、案外売れないんですよね」と言われたのを印象深く覚えています。それをはっきり言われて、いろんな事柄がつながる気がしました。

センスの洗練がすべてではない。野暮ったいというか、不快すら引き起こすものが人を惹きつけてやまないことは周知の事実だと思います。装飾と機能性ということで言えば、装飾を抑える、ほどほどにする方が（近現代のデザインでは）洗練ですが、ある種のテンプレ的な装飾を過剰化することが大衆文化らしさだったりするわけです。ヤンキーファッション、ギャル的なもの、スーツのこだわり、何らかの集団的役割の誇張、などなど。そこまでは行かなくても、本の表紙が「あまりかっこよくない」方がいいというのも似た話でしょう。

典型性とは、そこで人が匿名になるものです。多くの人がそれを頼って主体化するような鋳型。それを手放しで肯定するのは、ファシズム的です。アンチセンス的なものが「売れる」のなら、そうした方がいいという表面的な話は、ファシズム的なものにつながっている。広告の話ですから、当然そうなるのだとは言えるでしょう。しかし、ここで考えたいのは、典型性のファシズムを批判する立場をとるにしても、批判する主体にも何らかの反復があるし、大前提として人間は、反復と差異というセットでつねに動いているということです。

人は、より自由になろうとする一方で、何らかのモデルや枠組みに頼っている（神経精神分析的に言って）。その間にジレンマがあり、切実さがある。

人間の魅力というのもそうかもしれません。バランスがとれた良い人というだけでは魅力に欠ける、というのはよく言われる話で、どこか欠陥や破綻がある人にこそ惹きつけられてしまうことがある。その破綻というのは、その人固有のものというより、「ある種のテンプレのその人なりの表現」だったりする。固有の人生がなぜか典型的な破綻に取り憑かれてしまう人間という存在の愚かさが、人をそこへ巻き込む悪魔的魅力となる。

そのようなものを魅力と捉えるのはよくないという意見もあるでしょう。それを言う必要もある。しかし人間の個性的悪を消し去ることはできません。それを消し去ろうとすることこそが巨悪であると僕は信じます。ゆえに、重要なのはやはりジレンマです。

悪魔的と言うと、ドイツ語の「デモーニッシュ」が思い浮かびます（フロイトが「不気味なもの」という論文で使っていたからでしょう）。デモーニッシュな反復がある。それを変奏する。そしていつか、それは別の形に変わるかもしれない。だが当座、反復があるにはある。

センスの良し悪しと、アンチセンスが拮抗するところ。それは日常そのものではないでしょうか。たとえば、一人暮らしの部屋。

ここで、第一章に回帰しましょう。

センスが悪いという言い方を避けて、センスがまだ無自覚な状態というものを、次のような例で説明しました。本当は豪華な部屋に住みたいのに、そういう人生だったらよかったのに、そんな文化資本があったらよかったのに、そうなりようもないので、それっぽい家具で部屋を作ると、無自覚な身体性としての生活感がにじみ出る。そこで、道は二つに分かれる。

何かに憧れることなどやめてしまえばいい、そうすれば自由に生成変化するセンスが活性化するだろう、というのが本書で説明してきた道でした。

ですが、その道を進んでいくことで最終的に、もう一方の、より暗い道の存在に気づく……というか、いつの間にか二つの道の見分けがつきにくくなっている、二つの道が分身になっていることに気づくのです。

・センスは、アンチセンスという陰影を帯びてこそ、真にセンスとなるのではないか。

だとしたら、みすぼらしく生活感がにじみ出ているようなあの狭い空間にこそ、そもそも、すべての本質があったのではないか。そこに住む誰かの、その特異性の「問題」が。

人間もＡＩのように、何かからものごとを生成している。

どうしてもそうならざるをえない問題的なものが芸術と生活にまたがって反復され、変形されていく。人が持つ問題とは、そうならざるをえなかったからこそ、「そうでなくてもよかった」という偶然性の表現でもある。問題が繰り返され、何かひとつの塊に見えてくるほどにそこから、果てしない広がりとして偶然性がまばゆく炸裂する。

一人暮らしの狭い部屋は、ラウシェンバーグの画面に似ている。

付録　芸術と生活をつなぐワーク

本書全体をふまえて、芸術と生活をつなげていく方法を紹介したいと思います。

これが最善のやり方だというわけではありませんが、具体的にどうしたらいいですかと個人的にアドバイスを求められたら、センスを活性化するための近道として、僕ならこんな提案をするだろうというものです。

アートの教養を身につけたいというニーズがあり、そういう教養本がビジネスパーソン向けに出ています。謳(うた)い文句として、世界で活躍するビジネスパーソンは――日本人より――もっと芸術文化の教養を持っていて、そういうことがグローバルなビジネスの現場ではというか、その社交の場において重要な意味を持っている……みたいなことが言われたりします。

あるいはイノベーションにもつながるという観点からも、アート思考とかデザイン思考といったことが最近ではよく言われています。

さて、そういう教養のススメみたいな場合には、どちらかというと教科書にありそうな名作が例にされることが多いと思います。西洋の名画、クラシック、日本の伝統文化など。あるいは、もっと新しいもの、現代アートの有名作家――アイドル的扱いを受けているような――を紹介する方向もある。つまり、歴史の教科書みたいな話か、流行にキャッチアップするか、という感じです。

それで美術史を勉強してみるのもいいのですが、ここでは、それは二番目にしたいんです。まず、自分の人生にとって大事なものから出発する、というアプローチを提案します。

ワーク1　自分にとって大事な作品から始める

これまで生きてきて影響を受けた作品、という言い方をすると、意味優先で考えるかもしれません。でも、どんな影響を受けたかという意味的な重要性よりも、なぜか自分の体に残っていて、「そういえば、あれがあった」と思いつくもの。アニメでも音楽でも、ゲームでも何でもいいです。

そういうものは、自分自身の人間や社会の捉え方、風景の見え方、生活におけるいろんな所作の感じ方……などに意外に関わっているものです。世界観や、マテリアルな身体感覚に関わっている。成長する過程で見聞きしたものから、ものごとの捉え方を身につけていくのが人間です。なお、作品という言い方で、アニメやゲームのようなポピュラー文化と、美術館にある絵画などを完全に対等に扱っています。

あるキャラクターへの感情が残っているとか、とにかくその絵画をすごいと思ったというだけでも十分です。何かセリフを真似しようとしたりといった、いわゆる黒歴史的なものも含めて。

まず、そこを出発点として仮固定しましょう。

思いつくことを箇条書きにする

その作品について、簡単なメモを書いてみます。箇条書きで。

どこが重要だったか、などと意味的に考えると言葉が出てきにくいでしょう。ただ思いつくことを、断片的にリストアップしていきます。じっくり振り返って、「あれは何だったか」と整理するようなモードに入らないほうがいいのです。

キャラクターが思い出されたら、その名前を書くだけでもいい。何か印象的な場面があったら、その一部だけでいいので言葉にする。青い車が出てきたなら、「青い車、夕方の場面」とか。思い出すというより、思い出「される」ことを書いていくわけです。つまり自分に残っているということですね。それが重要性を表している。

その当時、自分の生活で思っていたことがついでに思い出されるかもしれません。何か思い出されたら、できれば自分で検閲をかけずに、それもちょっと書いておく。

この下準備は、ものの重要性を考えるときに、意識的な意味づけではなく、無意識から浮上してくるかどうかに任せる、というレッスンになっています。

これによって、出発点となる作品のいくつかのポイントが、現時点において改めて重みづけされた、ということになる。意味づけではなく、それは何なのかということを脇に置いた、ただの「重みづけ」です（ここでも脱意味的なアプローチをとっている）。

リズムに注目して再度鑑賞する

次に、その作品を再度鑑賞してみます。アニメや映画なら久しぶりに観てみる。小説を読み直す。絵だったら検索する。音楽なら配信サービスで探してみる。

何かしら思うところがあるでしょう。かつての印象が蘇るかもしれないし、現在の自分はもっとクールになっているかもしれない。

そして、この本で説明した、リズムに着目するという捉え方で鑑賞してみます。この作品はどうできているか、という構造的な意識です。その際、最初にリストアップした自分にとって気になっていたポイントが、他の要素とどういう関係にあり、どういうリズムを成しているか、と考えてみます。それが何を意味するのかではありません。要素のつながりがどうなっているかという、リズムの配線だけを考えます。

ここで「分析」という言葉を使うとお堅い感じになると思うんですが、文化を研究するときの分析とは、まずこういう見方をすることです（プロの研究者はだいたいそう認めると思います）。

映像作品なら、どういうふうに場面＝ショットが切り替わるか。人物の動きや、物の配置がどうなっているか。色や音の組み合わせがどのように展開するか。

もちろん、ごく大ざっぱでかまいません。とにかく、「自分にとってどこが引っかかるか」が基準です。客観的に重要なことを自分は見抜けるだろうか？　というふうに、自分を責めるような見方をするべきではありません。自分にはここが気になる。それだけでいい。そこからすべてが始まります。

自分が、その作品の意味内容だけでなく、どういうリズムに反応しているのかを捉えてもらいたいんですね。

最初の一作品でそれがうまくできなくても大丈夫です。まずやってみて、少しずつ数をこなしていきます。リズム的見方でいろいろ見ることで、慣れていく。

他の作品に拡げていく

それで、最初の作品から他のものにどう拡げるかですが、やはりその作品から枝葉を伸ばすようにしてみましょう。情報を調べてみます。作者はどういう人か。ほかにどういう作品があるのか。初期の作品なのか、一番活躍している時期なのか。作り方、リズムの特徴を捉えるという意識で他の作品も見てみるといいでしょう。

また、個人的に重要な作品が、あるジャンル、たとえばアニメの歴史において、どういう段階にあるものなのかを調べる。まず、それと同時代の作品には何があるかを調べます。さらに、それ以前／それ以後はどういう状況かと調べます。こういうことは現在ではネットですぐに検索できるわけです。

さて、いまアニメを例にしていますが、その作品と同時期に、実写映画や文学、美術、音楽など他のジャンルでは、どういうものが作られていたのか。そのアニメ作品は一九八〇年だとします。そうしたら、一九八〇年前後の映画、小説、当時の現代美術などを調べます。時間があれば鑑賞してみます。こういうふうに拡げていくと、「全芸術」が趣味になっていくと思います。

同時代のいろんなジャンルのものに、リズムあるいはノリの共通性があるかどうかをちょっと考えてみます。ただ、それを無理に発見しようとしなくてもいいです。ジャンルをまたぐ共通性を言葉にすることは、すぐにはできません。作品をいろいろ見ていく楽しみが日常化し、数年が経てば、だんだん言葉が出てくるようになると思います。最初は時代の雰囲気を感じるだけで十分です。

ワーク2　一般教養

僕の教え方ではこちらが後回しなのですが、美術史、音楽史などの入門書を読む。教養本の多くでは、美術史だったら、ルネサンスの有名なものからたどっていったり、あるいはざっくりカットして、近代つまりモダニズム以後だけに絞るものもあったりしますが、いずれにせよ通史的なものが多いようです。

しかし、一九八〇年頃にまず興味があるとして、いきなり一五世紀のイタリア（ルネサンスの時期）のことを読んでも何が何だか、だと思います。ましてや、イチから学ばなくては、古代ギリシアからだ、とかいうのは、仕事をする前に部屋の大掃除を始めて終わらなくなるみたいなものです。

基準となる時代からさかのぼっていくのがいいと思います。一九八〇年代から始めるなら、七〇年代、六〇年代とさかのぼり、より大きくは二〇世紀前半がどう展開したかをざっと把握する。その上で、一九世紀はどうだったかと進む。そのあたりが、芸術においては、近代という一線が引かれる時期ですね。そこまで行ったら今度は、近代以前はどうだったかと調べていく。

ジャンルの事情を知るには、過去方向が優先だと思います。どういう経緯があって、八〇年代に新しいポップな美術が出てきたのか。キース・ヘリングのようなストリート的なもの。シンディ・シャーマンのようなB級映画的イメージ。音楽なら、たとえばYMOなど。それと共に、以後の展開を見ていきます。九〇年代になると何が変わったのか。そしてインターネットが普及していき、二〇〇〇年代にはどうなったか。

なお、このワーク2では、作品のリズム構造への注目は、いったん忘れていてかまいません。歴史をざっと知るのが目的で、その上で、実際に作品を鑑賞することになったらリズムを意識する、ということになります。

美術史や音楽史などを学ぶには、新書がいいと思います。第一線の研究者が書いた、わかりやすい良い新書が出ています。加えて、文字ばかりの本だけでなく、図版がたくさん載っているカタログみたいなものもあるといいと思います。

新書を買ってきます。目次を確認し、興味がある時代のところだけを先に見る。このとき、ちゃんと読まなくていいです。どういう人物や作品が出てくるか、キーワードは何か、時代の特徴として何が言われているか。目星をつけるだけです。

その上で、最初から読んでいきます。古い時代のことは、ざっとでいいです。古代、中世の話で、ちゃんと人名を覚えながら読もうとして挫折する——それが「勉強だ」と勘違いする——というのがよくあると思います。古い時代の専門家の方には怒られてしまいそうですが、優先すべきは近代の事情なんです。それをより古い時代に結びつけるのは、かなりの上級編だと思ってください（プロになると、近代とそれ以前を関係づける見方を持っています）。

ひとつのジャンルに関して本一冊だけではなく、二冊、三冊を比較する必要があります。

自分にとって重要なものを基準にし、大きく言えば、ネット以後の世界と、一九、一八世紀、つまり近代化の時期とをつなぐように見ていく。もちろんすぐにできることではなく、時間をかけて、歴史のいろんな箇所を行き来して考えていくことです。

つまみ食いで全然かまいません。この過程で出会う固有名詞を全部覚えようとしなくて大丈夫。頭に残るものが残っていればよくて、大きな流れを知るのが優先です。

ワーク3　生活をリズム的に捉える

芸術文化を一方に置きつつ、身近なものをリズム的に捉えてみる。食べ物の経験、インテリアの配置、服の組み合わせ、出歩くときの風景、人々の様子、会話のキャッチボールなどが、どういうデコボコになっているか、ビートとうねりを感じ取る。

当然、いつでもそういう姿勢でものを捉えるわけではありません。目的のために行動するのが普通はメインです。気が向いたら、生活の一部に芸術的感覚を向けてみる。

普通の意味では芸術ではないものを、そのうちになんとなく、映画、音楽などとリズム的に比べる感じが出てくると思います。

このワークがどう行われるかは人によって多様だと思うので、このくらいの説明に留めます。大ざっぱには、作品をリズム的に見るワーク1がまずあって、その感覚、つまりセンスを、ちょっと生活に持ち込んでみるということです。

このようなことを試していくと、自分でも真似して作ってみようという気持ちが湧いてくるかもしれません。そうしたら、簡単なツールを手に入れることから始めて、やってみてください。以上のプロセスは、自分のなかに、一種の自動生成が起きるような蓄積をすることに当たります。おのずと何かが出てくることになると思います。

しかし、もちろんのことですが、作り手になる必要はありません。ただ、芸術文化に触れていると、何かが動き始めるとは思います。それを作品という形で表現しなくても、日常生活に何かニュアンスが加わると思います。生活のリズム的な面がいくらか活性化されるでしょう。

では、作品を作りたいとなったらどうするか。そのポイントは、本書でいろいろと述べたことになります。作るにはどうするかという観点で、本書を読み直すことをお勧めします。その上で、各ジャンルの入門書を読んでみてください。

ひとことだけ。作れるものを作れば、それでいいのです。

読書ガイド

本書の参考文献を、読書ガイドとして紹介したいと思います。したがって、網羅的な文献リストではありません。さらに理解を広げるのに役立つものを紹介します。

1　フォーマリズム、美術

意味や目的から離れてただ形を見る、という全体方針は、これはひとつの概念で言うと「フォーマリズム」に当たります。ただ、フォーマリズムという言葉はいろんな分野で使われるので、本書の理解のためには、「美術　フォーマリズム」で検索して、まずシンプルな定義を見つけてください。作品が何を表しているかより、「形式・形態」に着目するといったことが出てくると思います。

しかし、フォーマリズムというのはさんざん批判を受けてきた概念であり、批判への反論もあったり、「フォーマリズムに関して言われてきたことの歴史」は複雑で、それを把握するのはかなり専門的です。興味があれば、「フォーマリズム批判」も調べてみるといいと思います。ですが、本書を読んで応用するには、ひとまずは、ごくシンプルなフォーマリズムの捉え方で大丈夫です。

形を見ることを中心にすると、どういうふうにものを言語化することになるのか。その実例としては、次の著作が参考になると思います。

平倉圭『かたちは思考する――芸術制作の分析』東京大学出版会、二〇一九年。
山内朋樹『庭のかたちが生まれるとき――庭園の詩学と庭師の知恵』フィルムアート社、二〇二三年。

現代美術の入門としては、次のものを紹介しておきます。ほかにもいろいろ読み比べてみてください。

筧菜奈子『いとをかしき20世紀美術』亜紀書房、二〇二一年。本書はマンガの形をとっていて、ポイントがわかりやすく、啓発的です。

山本浩貴『現代美術史――欧米、日本、トランスナショナル』中公新書、二〇一九年。
特集「会田誠が考える　新しい美術の教科書」、『芸術新潮』二〇二四年二月号。

美術をどう見るかということでは、かつて自分にとって大きなインパクトがあったのは次の対談です。造形作家の岡﨑乾二郎さんは、美術についても他のジャンルについても非常に参考になる考察を展開されています。調べてみてください。

松浦寿夫・岡﨑乾二郎『絵画の準備を！』朝日出版社、二〇〇五年。

2　美学

さて、美学という分野について。これは独特の歴史があって、現在では「美学」という名のもとで多様な研究が行われていますが、伝統的と言えるテーマがあります。美と崇高というペアもそうです。そういったことを中心に論じるのは、「近代美学」です。次の入門書はとても読みやすいものです。

井奥陽子『近代美学入門』ちくま新書、二〇二三年。

崇高という概念については、大学院時代からお世話になっている次の二人の研究が念頭にあります。

宮﨑裕助『判断と崇高――カント美学のポリティクス』知泉書館、二〇〇九年。
星野太『崇高の修辞学』月曜社、二〇一七年。

3　精神分析

精神分析に関しては、次の入門書を読んでみることをお勧めします。

片岡一竹『ゼロから始めるジャック・ラカン――疾風怒濤精神分析入門　増補改訂版』ちくま文庫、二〇二三年。

ラカン理論の詳細に関しては、松本卓也が非常にクリアに整理しています。

松本卓也『人はみな妄想する——ジャック・ラカンと鑑別診断の思想』青土社、二〇一五年。

本書の第三章において、フロイトの論文「快原理の彼岸」をベースとし、「いないいないばあ」について説明している部分ですが、ここでリズムを重視するのは、十川幸司という精神分析家の考察と関係があります。芸術および生活のいろいろをリズムとして捉えるという本書の計画は元からのもので、執筆の途中で以下の論文を知り、参照しました。そこでは、フロイトの議論を、二項対立に関わるものとして解釈するだけでは不十分であり、リズムの問題として見る必要があるという指摘がされています。これに対して、本書の特徴は、いないいないいないばあ的なものを複雑なリズムとして捉えるのに加えて、そこに0と1という二項対立の明滅を重ねる、というところにあると思います。

十川幸司「精神分析におけるリズムの問い——心的時間・空間の生成」、『思想』二〇二一年八月号、岩波書店。

十川幸司「心的生の誕生――ネガティヴ・ハンド（リズムの精神分析(1)」、『思想』二〇二二年九月号、岩波書店。

十川幸司「形象と表現――リズムの精神分析(2)」、『思想』二〇二三年十月号、岩波書店。

「快原理の彼岸」は『フロイト全集』に収められていますが、より手に取りやすい翻訳もあります。

フロイト「快原理の彼岸」、『フロイト全集』第一七巻、須藤訓任訳、岩波書店、二〇〇六年。

フロイト「快感原則の彼岸」、フロイト『自我論集』竹田青嗣編、中山元訳、ちくま学芸文庫、一九九六年。

4　予測、予測誤差

脳神経と予測に関しては、フリストンらの理論です。これについては、次の研究の際に、、熊谷晋一郎さんから教えていただきました。二〇一九年から二〇二一年にかけて、國分功一郎を代表者とし、熊谷晋一郎・千葉雅也・松本卓也をメンバーとする、「自閉症に関する哲学と医学の学際的研究：ドゥルーズ哲学と自閉症研究の融合」（科学研究費、基盤研究B）を行いました。その研究会を通して考えたことが本書にも反映されています。ここで、研究運営に多大な労力を割いてくださった國分功一郎さんに御礼申し上げたいと思います。

この理論、「自由エネルギー原理」の数理に関しては、文系の人間にとっては難しいのですが、解説書によって基本的なアイデアは理解できると思います。

乾敏郎・阪口豊『脳の大統一理論――自由エネルギー原理とはなにか』岩波科学ライブラリー、二〇二〇年。
トーマス・パー、ジョバンニ・ペッツーロ、カール・フリストン『能動的推論――心、脳、行動の自由エネルギー原理』乾敏郎訳、ミネルヴァ書房、二〇二二年。

予測誤差とラカンの享楽の概念を結びつける試みとしては、次の論文があります。ただこれは、解釈の試みという段階だと思います。

John Dall'Aglio, "Sex and Prediction Error, Part 1: The Metapsychology of Jouissance," Journal of the American Psychoanalytic Association, 69(4), 2021.
John Dall'Aglio, "Sex and Prediction Error, Part 2: Jouissance and The Free Energy Principle in Neuropsychoanalysis," Journal of the American Psychoanalytic Association, 69 (4), 2021.
John Dall'Aglio, "Sex and Prediction Error, Part 3: Provoking Prediction Error," Journal of the American Psychoanalytic Association, 69(4), 2021.

5 ベルクソン

第七章でのベルクソンの時間論については、平井靖史の研究を参照しました。

平井靖史『世界は時間でできている——ベルクソン時間哲学入門』青土社、二〇二二年。

日本では近年ベルクソン研究が活況を呈しています。自然科学との接点を探る新しい研究状況が生まれています。次の論集など。

平井靖史・藤田尚志・安孫子信編『ベルクソン『物質と記憶』を解剖する――現代知覚理論・時間論・心の哲学との接続』書肆心水、二〇一六年。

その他の文献

D・W・ウィニコット『遊ぶことと現実』橋本雅雄・大矢泰士訳、岩崎学術出版社、二〇一五年。

D・W・ウィニコット『成熟過程と促進的環境――情緒発達理論の研究』大矢泰士訳、岩崎学術出版社、二〇二二年。

ケンダル・ウォルトン『フィクションとは何か――ごっこ遊びと芸術』田村均訳、名古屋大学出版会、二〇一六年。

リチャード・ウォルハイム「フォーマリズムとは何か――その分類と展開」金悠美訳、『美術フォーラム21』第二号、醍醐書房、二〇〇〇年。

浦野智佳「情動を表現する切り口としての「エモい」――共感の氾濫するソーシャルメディアで」、『Core Ethics』第一九巻、立命館大学大学院先端総合学術研究科、二〇二三年。

スティーヴン・ウルフラム『ChatGPTの頭の中』稲葉通将監訳・高橋聡訳、ハヤカワ新書、二〇二三年。

大坪庸介『進化心理学』放送大学教育振興会、二〇二三年。

岡野原大輔『大規模言語モデルは新たな知能か——ChatGPTが変えた世界』岩波科学ライブラリー、二〇二三年。

小田亮・橋彌和秀・大坪庸介・平石界編『進化でわかる人間行動の事典』朝倉書店、二〇二一年。

カント『判断力批判』上下巻、中山元訳、光文社古典新訳文庫、二〇二三年。こちらが現在手に入りやすく、読みやすい訳。筆者は年来、宇都宮芳明訳（以文社）を参照してきたが、入手困難になっている。

木下知威・伊藤亜紗の対談、二〇一四年。http://asaito.com/research/2014/05/post_15.php　この対談（筆談でのやりとりをもとに構成）では、視覚・聴覚・触覚、および言語について興味深い考察が行われている。

熊野純彦『カント——美と倫理とのはざまで』講談社、二〇一七年。

佐々木敦『ゴダール原論——映画・世界・ソニマージュ』新潮社、二〇一六年。

佐々木健一『美学辞典』東京大学出版会、一九九五年。

佐々木健一『美学への招待　増補版』中公新書、二〇一九年。

ロバート・ステッカー『分析美学入門』森功次訳、勁草書房、二〇一三年。

ニック・チェイター『心はこうして創られる——「即興する脳」の心理学』高橋達二・長谷川珈訳、講談社選書メチエ、二〇二二年。

十川幸司『フロイディアン・ステップ――分析家の誕生』みすず書房、二〇一九年。

徳丸吉彦・高橋悠治・北中正和・渡辺裕編『事典　世界音楽の本』岩波書店、二〇〇七年。

エドマンド・バーク『崇高と美の観念の起原』中野好之訳、みすず書房、一九九九年。

蓮實重彦『表層批評宣言』ちくま文庫、一九八五年。

蓮實重彦『夏目漱石論』講談社文芸文庫、二〇一二年。蓮實重彦の著作としては、個人的には本書をまずお勧めしたい。文学作品を何か偉大なテーマや本質的なものから切り離し、即物的に取り扱うことを実例で教えてくれる。小説の読み方が変わるだけでなく、さまざまなジャンルの見方が変わる本。

蓮實重彦『ゴダール革命　増補決定版』ちくま学芸文庫、二〇二三年。

平倉圭『ゴダール的方法』インスクリプト、二〇一〇年。

平倉圭「『さらば言語よ』についての4つのノート」、『ユリイカ』二〇一五年一月号、青土社。

古田徹也『はじめてのウィトゲンシュタイン』ＮＨＫブックス、二〇二〇年。

保坂和志『季節の記憶』中公文庫、一九九九年。

保坂和志『小説の自由』中公文庫、二〇一〇年。

保坂和志『小説の誕生』中公文庫、二〇一一年。

保坂和志『小説、世界の奏でる音楽』中公文庫、二〇一二年。

エドガー・アラン・ポー「詩作の哲学」、『ポオ評論集』八木敏雄編訳、岩波文庫、二〇〇九年。

シャルル・ボードレール「現代生活の画家」、『ボードレール批評2』阿部良雄訳、ちくま学芸文庫、一九九九年。

山田真世「幼児期の描画における表象理解の発達——描画意図と他者理解に着目して」博士論文、神戸大学、二〇一五年。

ジャン・ラプランシュ『精神分析における生と死』十川幸司・堀川聡司・佐藤朋子訳、金剛出版、二〇一八年。

Pierre Sauvanet, *Le rythme grec. d'Héraclite à Aristote*, PUF, 1999.

おわりに　批評の権利

こうして芸術論の本をやっとまとめることができて、安堵しています。

先の『現代思想入門』（講談社現代新書、二〇二二年）もそうですが、芸術論もいつか書かなければと思っていました。慎重になり、先延ばしにしていたらきりがないわけで、いったん「仮固定」する決定をしなければなりません。『現代思想入門』では、デリダやドゥルーズなどの哲学に関する自分の読みはいったん固まっており、それは自分の限界でもあって、一種の諦めを伴って書くことにした、と述べました。同じように、芸術についても、自分の芸術観には一定のものが成り立っていて、この先も維持されるか変わるのかわかりませんが、一度書いておくべきだと思った次第です。

本書は、『勉強の哲学』（文藝春秋、二〇一七年）から始まる入門書的な著作の、三番目のものと位置づけています。そういうタイプの本を書くようになったのも、そうなった以上、自分の適性なのだろうと思っています。ガイドする本でありながら、同時に自分としての理論的咀嚼（そしゃく）の表現です。

『勉強の哲学』は、思考についての本です。『現代思想入門』は倫理についての本かもしれません。今回は、美的判断の問題です。というのはカントの三つの著作になぞらえてみたわけですが、ユーモアとして言えばです。

これは、自分にとって初心に戻る本です。

僕はもともと美術が興味のメインで、美大に行きたいという気持ちもありました。ですが、高校時代に、美術作品を作りながらも、文章を書くことが面白くなっていった。きっかけは、栃木県立美術館の企画展を観てレポートを書くという美術の授業課題です。それで「批評」の真似事をすることになったのですが、当時、宇都宮高校で美術を担当されていた有坂隆二先生からさまざまなアドバイスを（ときに厳しいコメントも！）いただき、美術部にも入ることになり、関心の範囲が広がっていきました。

そして一九九五年、自分のＭａｃがインターネットに接続され、日本での最初期のネット文化に触れることになります。匿名のチャットに毎日深夜に入り（僕にとっては、その延長線上にツイッターがあります）、そこからメディア論や現代思想への興味が出てきた。それと美術を関係づけたい気持ちもありましたが、どちらかというと、「ネットによってこれからリアリティの感覚がどう変わっていくのか」といった、より思想的な意識が強くなりました。

結果、大学ではフランス現代思想や人文系の理論を学ぶことになるのですが、一時期までは作品も作っていて、美術批評の関心もあった。しかし、気づいたら離れていました。美術を封印したような感じもあります。大学三年くらいだと思います。

そこからは、哲学思想の文献を読み、論文を書くスキルを身につけることに自分を限定することになりました。

もし当時、ツイッターなどのSNSがあったら、その限定はできずに、もっと気が散ってしまったのではないかと思います。わかりませんが、あの頃はまだリアルの世界の方がずっと大きかったために、変に野心を出さずに済んだのかもしれません。

その後、二〇〇八年頃に封印が解かれることになりました。岡﨑乾二郎さんがディレクションした「批評の現在」というシンポジウム（国立近代美術館）にお声がけいただき、登壇したのが大きなきっかけです。そこには、読書ガイドに著作を挙げた平倉圭さんも参加していたし、その後活動していく若手が集っていました。そのとき、美術家の池田剛介さんが積極的に話しかけてくれたのが大変励みになりました。以後、池田さんとトークを行ったり、東京藝大での授業に関わったりして（木幡和枝さんに大変お世話になりました）、芸術論をリハビリしていくことになります。

批評を書くのは脇に置き、論文の修練をした。しかし、アカデミズムの道に進んだのは結果的にそうなってしまったという流れで、本来、学問的にリジッドであるよりは、もっと自由度の高い批評的なものを書くことが望みでした。高校時代まで、自分の周囲には、学問的厳密さというものを教えてくれる人はいませんでした。まあ、そんな人がいる環境は珍しいわけですが、大学に行くと、二〇歳前にすでに学者的な規範を意識している人というのもいたりするんです。それに対してコンプレックスを抱いたというほどではないにせよ、僕はそういう方向ではないなと思うこともありました。

学問的に書くことと、批評的あるいは芸術的な自由度との折り合いに苦労しました。現在でも苦労するし、でも、それが自分のあり方なのだと思うようになりました。

二〇〇八年前後は、ドゥルーズについての論文を書き始めた時期でもあり、振り返ると、論文執筆は批評の再開と連動していました。それで、どうにかこうにか博士論文を書き上げ、二〇一二年に受理され、一八歳から三四歳まで一六年かかった大学時代が終わることになります。

書くということを、より自由な行為に「戻し」始めたことと、論文を書くことはリンクしていたようです。論文といっても、自分なりのものとして書くしかない、ということになった。経済的にもリミットがあったし、いろいろな制約のなかで一定のハードルを越えられるよう、どうにかするしかなかったわけです。

就職によって関西に移りました。大阪に住むことにし、今年で一二年目です。博士論文をもとにした『動きすぎてはいけない――ジル・ドゥルーズと生成変化の哲学』（河出書房新社）の刊行は、引っ越してから一年後、二〇一三年で、そこからすべての本を大阪で書いたことになります。栃木で美術を志していた頃からすれば、なんとも奇妙な感じがします。

大学院のときに、大阪大学で学会があった際に宿泊し、夏だったと思いますが、夜の街をぶらついていて、それは以前の新宿や渋谷を思わせる、東京では失われつつあるようないかがわしさのある空間で、だがそれとも違うような不思議な熱を感じるところでした。大阪にいつか住んでみたいと思いました。

芸術に関し、大学三年ぐらいに考察が中断されたのは、ある袋小路に突き当たったからです——いや、実際にはいろんな事情が重なり合っていて、そういう説明は話を作りすぎかもしれません。でも、あえて話を作ってみるなら、作品を批評するときに、これはこうだという意味を与える権利、いわば「批評の権利」はどこから来るのか、という問題が解けなかった。偉そうな論客たちが、作品についてああだこうだと決めつけていることに反発を感じていました。というか、全部「決めつけ」だと思っていました。

さかのぼると、高校のレポートで最初に書いたのは、抽象的な現代美術の作品は、ただ料理を味わうように体験すればいいのであって、それらしいことを言って自慢げな連中はみんな詭弁家＝ソフィストなのだ、という話でした。実に恥ずかしくなる、若者らしい反発です。このことに再度向き合うことは長らく避けてきました。しかし、この初発の態度には、真面目に検討すべきものもあると思うようになりました。

この一五歳の少年は、単純に言ってまだ知識がなく、難しい批評を読んでもわからなかった。だから、反発した。まずはそうだったのだと思います。そして、解釈というのは多様にありうるというのがわからなかった。

何らかの理論的な枠組みがあるとして、それを使って作品に意味を与えることはとりあえず可能で、それは絶対にそうだと決めつけているわけではなく、そうも言えますよね、という……つまり解釈の、あるいはもっと広く言って人間の意見の多様性というものが、若者にはわからなかった。絶対にこうだと言えないのなら、全部詭弁だと思っていたのです。そうすると、逆の極端として、主観的体験を絶対化することになる。それは味覚に極まると思っていた。

そんなこんなで、大学に入っても、「批評の不可能性」みたいなことを考えていたのですが、頓挫してしまいました。そして、そこから相対主義の問題を考えることになり、より抽象的な現代思想の研究に進んでいった。

その頃大学では、「他者」というキーワードが、最重要と言っても過言ではない扱いを受けていました（そのずっと先に、現代における多様性＝ダイバーシティの議論があります）。異なる解釈があること、解釈の複数性を、何に関しても「言おうと思えばどうとでも言える」みたいな相対主義（すべては詭弁だというニヒルな見方）として捉えるのではなく、さまざまな「他者」に固有の見方があるのだという、より倫理的な方向へと考えが展開していきました。

そうすると逆に、自分自身もまた誰かにとって他者なのだから、自分がひとつの解釈を持つことは、その存在と結びついた実践だということになる。と、こんなふうにまとめちやっていいのかという疑問もあるのですが、こうやってぐるっと回るようにして、作品に意味を与えることを許せるようになっていったように思います。

思い起こすと、若い時には、年長の存在が何事かを結論することが、それだけで怖く感じるものです。若者は、弱いからです。肉体的には勢いがあっても、精神的にしっかりしたものをまだ持っていない。

精神的にしっかりするとは、根拠づけられた思考ができるようになると共に、それだけでは不十分で、ものごとに対し、良かれ悪しかれ鈍感になることだと思います。慣れるということです。結局、絶対的な根拠づけはできないということを受け入れる。世界には複数の人間がいて、全員が納得する解はありえない（自然科学は、「科学的に考えるならば」という条件つきの平面においてその理想を実現するかに見えますが、人間が生きる世界はその平面のみでできているわけではない）。それが体感としてわかるには、年月がかかるものです。加齢によって指が硬く、ゴワゴワになっていくように、精神も耐性を持つようになる。

僕のなかには、意味よりも手前で、食とつながるような芸術の感覚があった。その絵が何を表しているか以前の感覚的な楽しさ、興奮性を、なんとか言いたかった。けれども、昔はそれができなかった。芸術＝料理としか言いようがなかった。そのもどかしさもあって、意味づける言葉に対して青臭い反発をするしかなかった。

それから三〇年近く経ち、食べ物を味わうように作品を楽しむということの、そのナンセンスの仕組みを言葉にしようと試みたのが、この本です。


両親が美術系の学校だったこともあり、僕は小さい頃から絵を描いたり紙で工作したりして育ちました。何かを見て、かっこいいとか、ここはいいけどここはちょっと違うよねとか、そういう会話がよくなされる家庭でした。それが仕事の基礎になっていると思いますが、同時に、根拠を挙げて推論したり、何かを正しい、間違っていると判断するような志向は乏しい家庭環境でした。それは僕の弱みになっていると思います。

食べるときにも、よく食べ物について話す環境でした。

ところで、食べる喜び、そのナンセンスな強度には、倫理的な意味があると思っています。何か困難な状況があるとしても、食卓においてはそれを宙づりにする。ビジネスでも政治でも、あるいは学問の世界でも、食事を共にすることは、解釈を異にする者の間に緩衝地帯を作り出すことです。食事はその一部ですが、広く言って「社交」という実践にはそういう意義があります。

芸術もまた、直接の利害関係の間接化であり、人々を媒介するものです。目的のための行動が一方にあるとして、その対極に芸術を位置づけるなら、社交はその中間にあるとも言えそうです。

食べることを基本として、人々が、何かを目指すわけでもなく集う空間を大事にしたい。全員一致を求めるのではなく、ちょっとした集まりがあちこちにできる——それに似たものとして、ちょっとした集まりのように要素を並べたものとして、作品を作る。

本書が、芸術と呼ばれるもののイメージを広げ、生きていくことに新たな彩りを加えるものとなることを願っています。

『勉強の哲学』のときと同じく、本書は文藝春秋の鳥嶋七実さんとの共同作業によって成立しました。大変なご尽力をいただきましたことに深く感謝申し上げます。

そして、芸術文化について普段から話し、本書の草稿にご助言もいただいた方々に感謝申し上げます。

二〇二四年二月　暖かさを感じるようになってきた大阪にて

本書は書き下ろしです
カバー・プロフィール写真　杉山秀樹

千葉雅也（ちば・まさや）

1978年栃木県生まれ。東京大学教養学部卒業。パリ第10大学および高等師範学校を経て、東京大学大学院総合文化研究科超域文化科学専攻表象文化論コース博士課程修了。博士（学術）。立命館大学大学院先端総合学術研究科教授。『動きすぎてはいけない――ジル・ドゥルーズと生成変化の哲学』（第4回紀伊國屋じんぶん大賞、第5回表象文化論学会賞）、『勉強の哲学――来たるべきバカのために』、『アメリカ紀行』、『デッドライン』（第41回野間文芸新人賞）、「マジックミラー」（第45回川端康成文学賞、『オーバーヒート』所収）、『現代思想入門』（新書大賞2023）など著書多数。

センスの哲学（てつがく）

二〇二四年 四 月 十 日 第一刷発行
二〇二四年十一月二十五日 第九刷発行

著 者 千葉雅也（ちばまさや）
発行者 大松芳男
発行所 株式会社 文藝春秋
〒一〇二―八〇〇八
東京都千代田区紀尾井町三―二三
電話 〇三―三二六五―一二一一
印刷所・製本所 光邦

ISBN978-4-16-391827-3

勉強の哲学

来たるべきバカのために

千葉雅也

勉強とは、これまでの自分を失って、変身することである——。人生の根底に革命を起こす本格的勉強論。「補章」が加わった完全版。

文春文庫

メイキング・オブ・勉強の哲学

千葉雅也

勉強とは作ることだ。『勉強の哲学』はいかにして書かれたのか。メイキングの過程と創作ノートを紐解いた作ることをめぐる方法論。

文藝春秋の本

アメリカ紀行

千葉雅也

トランプ以後のアメリカの地で、哲学者・千葉雅也は何を考えたのか。小説作品への萌芽が見える半年の思考の軌跡と新たな哲学。

文春文庫